UNE VÉRITÉ QUI DÉRANGE

Le réchauffement du climat expliqué aux enfants

UNE VÉRITÉ QUI DÉRANGE

Le réchauffement du climat expliqué aux enfants

Al Gore

Traduit de l'anglais par Philippe Godard

Éditions De La Martinière Jeunesse

Caney Fork River, Carthage, Tennessee, États-Unis.
Photo de Tipper Gore, l'épouse d'Al Gore.

Al et Tipper Gore un mois avant la naissance de leur premier enfant, Karenna, sur la Caney Fork River, Carthage, Tennessee, 1973.

À mon épouse bien-aimée, Tipper,
qui fut à mes côtés tout au long du voyage

TABLE DES MATIÈRES

INTRODUCTION

Mon enfance s'est déroulée dans deux endroits bien distincts. J'ai grandi à moitié en ville, à moitié à la campagne. Mon père était sénateur du Tennessee et travaillait à Washington D.C. ; c'est là que j'allais à l'école. Mais nous passions les étés dans notre ferme familiale de Carthage, dans le Tennessee. Je quittais alors un petit appartement au huitième étage, dont les fenêtres donnaient sur un parking en béton et des immeubles, pour me retrouver dans une ferme immense, avec des animaux, du soleil, un horizon à perte de vue, et les eaux scintillantes de la Caney Fork River.

Avec le temps, j'ai aimé, de plus en plus, les séjours à la ferme : l'herbe douce, le bruissement des arbres, la fraîcheur des lacs. Mon père m'emmenait souvent parcourir avec lui tous les recoins de notre propriété. Il m'enseigna beaucoup de choses sur la nature au cours de nos promenades. Lorsque je me promène dans ce qui est désormais ma ferme, avec mes enfants et petits-enfants, je leur apprends, à la suite de mon père, que prendre soin de la Terre est le devoir de chacun.

C'est ma mère qui me donna ma première leçon et me montra à quel point la Terre est vulnérable aux activités humaines. Quand j'avais quatorze ans, elle découvrit un livre de Rachel Carson intitulé *Le Printemps silencieux*. Elle jugea son message si important qu'elle nous en lut des passages, à ma sœur et à moi. Ce livre affirmait que la civilisation humaine avait dorénavant le pouvoir d'endommager gravement l'environnement. Cette découverte nous fit une très forte impression : depuis, nous n'avons plus jamais considéré la Terre et la nature de la même façon.

Puis, en 1968, alors que j'étais à l'université, j'en appris davantage sur le péril qui menaçait le monde naturel que j'aimais. Un de mes professeurs à Harvard, le remarquable Roger Revelle, m'ouvrit les yeux sur le réchauffement du climat. Comme tous les grands professeurs que j'eus la chance de rencontrer au cours de mes études, il influença le reste de ma vie. Il partagea, avec mes camarades et moi, ce qu'il savait sur l'atmosphère, et nous expliqua que d'énormes changements étaient en train de s'y produire à cause des êtres humains. Durant mes vingt-quatre ans au gouvernement et aujourd'hui encore en tant que simple citoyen, je n'ai eu de cesse d'alerter les gens sur le danger du réchauffement climatique, et de contribuer à trouver des solutions.

Certains pensent que le réchauffement du climat n'est pas l'une des plus graves menaces auxquelles nous devons faire face. Pourtant, c'est bien le cas : le climat de la Terre est en train de se modifier, et il évolue même plus vite que ce que l'on pouvait imaginer à l'origine. Ce changement a des effets dramatiques dont nous sommes les témoins, comme en 2005 avec le cyclone Katrina. De telles conséquences laissent des milliers de personnes sans domicile et des dizaines de villes dévastées.

Le réchauffement du climat n'est pas dû à des forces naturelles que nous ne pouvons contrôler. Aucun astéroïde ne nous a frappés. La Terre ne se rapproche pas du Soleil. La cause principale du problème, ce sont bien les êtres humains. Il est donc de notre responsabilité de le résoudre.

Votre génération a grandi en prêtant bien plus d'attention aux problèmes environnementaux que la mienne. Vous avez déjà compris que notre relation à la nature ne se résume pas à nous d'un côté, et elle de l'autre. Vous savez que nous faisons tous partie d'un même écosystème, que nous le constituons tous ensemble.

J'espère que ce livre vous montrera que nous pouvons vivre autrement et qu'il est temps d'agir pour mettre fin à la crise du climat.

Al enfant, sa sœur Nancy et leurs parents, sur la Caney Fork River, Carthage, Tennessee, 1951.

Chapitre Premier

NOTRE PLANÈTE ÉVOLUE

Voici la première photographie de la Terre prise depuis l'espace. La plupart d'entre vous la connaissent. Elle fut prise à la veille de Noël 1968, par l'un des astronautes de la mission *Apollo 8*. Pour la première fois dans l'histoire, un vaisseau, habité par l'homme, tournait autour de la Lune, à la recherche d'un site pour alunir. Sept mois plus tard, le monde entier assistait à ce moment historique où *Apollo 11* toucha le sol lunaire. Durant une partie de son voyage, *Apollo 8* se trouva du côté de la face cachée de la Lune, et la Terre disparut. Les astronautes se trouvèrent, seuls, dans le vide noir de l'espace, sans aucun contact radio, ainsi que la NASA l'avait prévu. Isolement total.

Puis, alors que le contact radio venait d'être rétabli, l'équipage leva les yeux et découvrit cette vue spectaculaire.

L'écrivain Archibald MacLeish écrivit le lendemain, le jour de Noël : « Voir la Terre telle qu'elle est, petite, et bleue, et magnifique dans le silence éternel où elle se tient suspendue, c'est nous voir nous-mêmes, tous ensemble sur cette Terre… »

Cette photo devint célèbre sous le nom de *Lever de Terre*. Elle a littéralement changé notre vision de la planète. Les hommes, en prenant conscience de la beauté de la Terre, ont changé leur vision de la planète et, plus encore, leur attitude vis-à-vis d'elle.

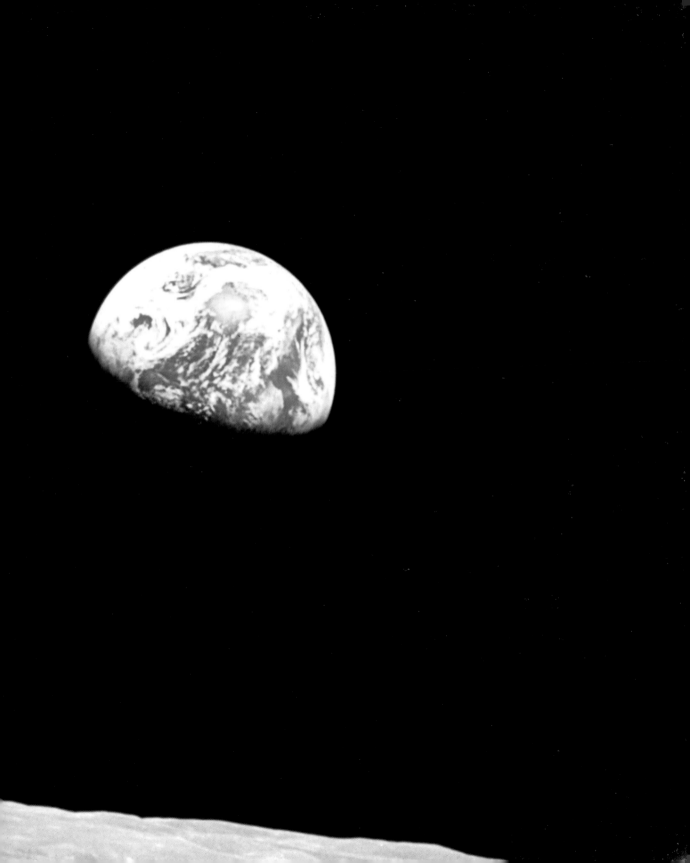

Ces photos étonnantes de la Terre ont été conçues par l'un de mes amis, Tom Van Sant. Il a visionné trois mille images prises par des satellites durant trois ans, puis il a soigneusement sélectionné celles qui offraient une vue sans nuages de la surface de la Terre. Il les a ensuite assemblées les unes avec les autres afin de créer une vue composite de la planète. Presque toute sa surface est clairement visible ; seul l'Antarctique n'apparaît pas.

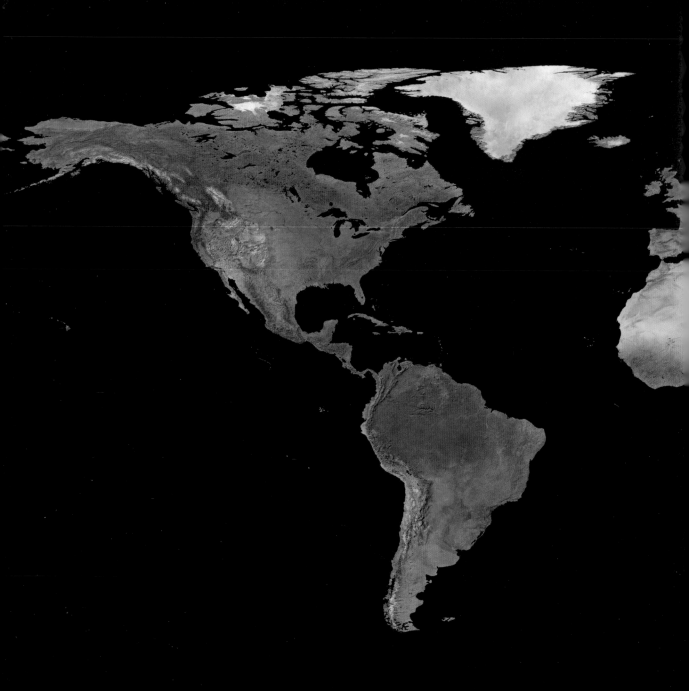

La Terre est un globe. La seule façon d'en avoir une vue complète à partir des clichés de Van Sant est de les étendre en une image à plat, selon ce qu'on appelle une projection. Toute projection entraîne une distorsion de la forme et de la taille des continents, surtout autour des pôles

Nord et Sud. L'image reproduite ici a été réalisée à partir de trois mille photographies- satellites. C'est une image emblématique de la Terre utilisée dans les atlas du monde entier.

Chapitre Deux

UNE ALARME SILENCIEUSE

Mark Twain disait : « Ce n'est pas notre ignorance qui nous attire des ennuis, mais nos fausses certitudes. » C'est tout à fait vrai lorsqu'on pense à la crise du climat. Beaucoup d'entre nous croient, à tort, que la Terre est si grande que nous, les êtres humains, ne pouvons l'abîmer entièrement. C'était peut-être vrai à une époque, mais plus maintenant. Nous sommes si nombreux sur Terre (6,6 milliards d'êtres humains) et nos technologies sont si puissantes que nous sommes désormais capables de causer de sérieux dommages à l'environnement.

QUELLE EST LA PARTIE LA PLUS VULNÉRABLE DE LA TERRE ?

Mon ami, le regretté astrophysicien Carl Sagan, avait coutume de dire : « Si vous prenez un globe recouvert de vernis, l'épaisseur de ce vernis par rapport au globe serait comparable à celle de l'atmosphère par rapport à la Terre elle-même. » C'est cette couche, d'une minceur infime, qui permet pourtant que la vie existe sur notre planète. On l'appelle « atmosphère » et elle est extrêmement fragile.

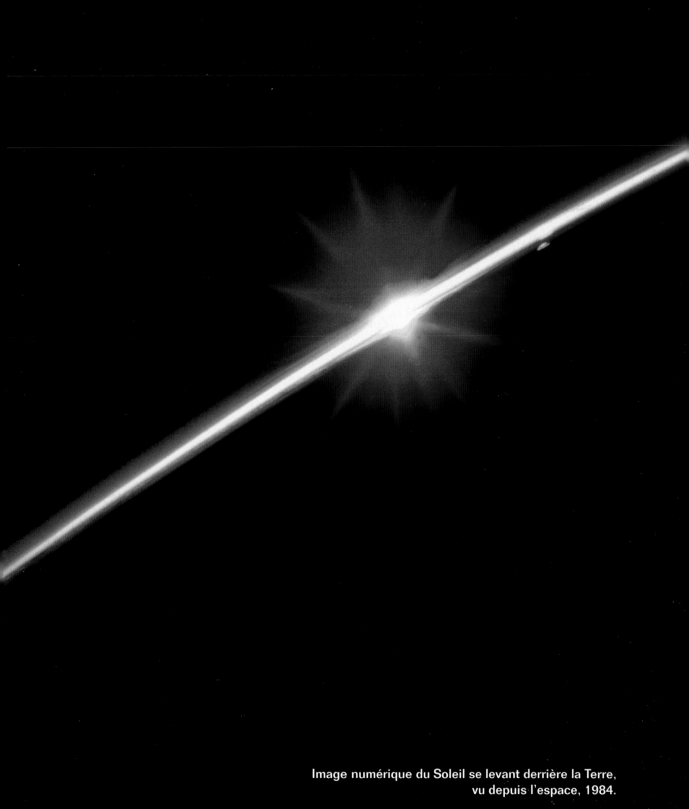

Image numérique du Soleil se levant derrière la Terre,
vu depuis l'espace, 1984.

Par nos activités agricoles, industrielles, individuelles et quotidiennes, nous avons désormais, malheureusement, le pouvoir de modifier radicalement la composition de l'atmosphère.

**Les papeteries comme celle-ci comptent
parmi les plus gros pollueurs industriels des États-Unis.**

QU'EST-CE QU'UN GAZ
À EFFET DE SERRE ?

Certains gaz de notre atmosphère retiennent la chaleur du soleil, comme le dioxyde de carbone (CO_2), le méthane ou le monoxyde d'azote. Ils maintiennent sur la Terre une température moyenne de 15 °C, comme dans une serre : sans ces gaz, la température à la surface de la Terre chuterait à environ − 18 °C !
Mais l'industrie, la technologie et nos modes de vie modernes nous conduisent à émettre trop de gaz à effet de serre. Et cela n'est pas bon du tout.

Quand, par exemple, nous brûlons une grande quantité de carburants fossiles (pétrole, gaz naturel, charbon) dans nos voitures, nos maisons, nos usines et nos centrales électriques, nous relâchons dans l'atmosphère beaucoup de dioxyde de carbone (CO_2). L'abattage des forêts et la production de ciment causent également des rejets de CO_2. Le dioxyde de carbone fait beaucoup parler de lui, car il représente à lui seul 80 % du total des émissions de gaz à effet de serre.

Avant la révolution industrielle, nous n'émettions quasiment pas de gaz à effet de serre. Le système était merveilleusement équilibré. La quantité d'énergie solaire qui parvenait sur Terre était celle dont nous avions besoin. La planète n'était donc ni trop chaude, comme Vénus avec son atmosphère dense et toxique, ni trop froide, comme Mars, qui n'a pratiquement pas d'atmosphère.

Mais lorsqu'il y a trop de gaz à effet de serre dans l'atmosphère, cela conduit au réchauffement du climat. Les schémas ci-dessous montrent comment ce phénomène se produit. L'énergie solaire (les lignes ondulées jaunes) pénètre dans l'atmosphère.

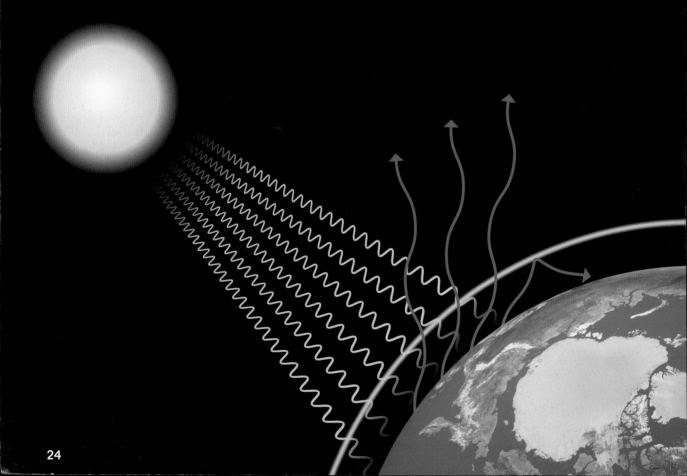

Une partie de cette énergie chauffe la Terre et son atmosphère puis retourne dans l'espace sous forme d'ondes infrarouges (les lignes rouges). Mais les gaz à effet de serre retiennent une partie de ces ondes infrarouges, les empêchant de s'échapper vers l'espace.

Ainsi, en s'accumulant dans l'atmosphère, le dioxyde de carbone retient toujours davantage d'ondes infrarouges, d'où une élévation progressive de la température, sur Terre et dans les océans.

C'EST EN CELA QUE CONSISTE LA CRISE DU CLIMAT.

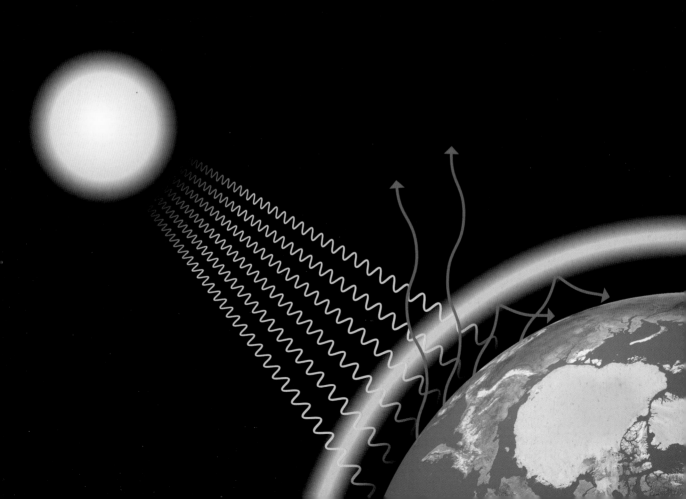

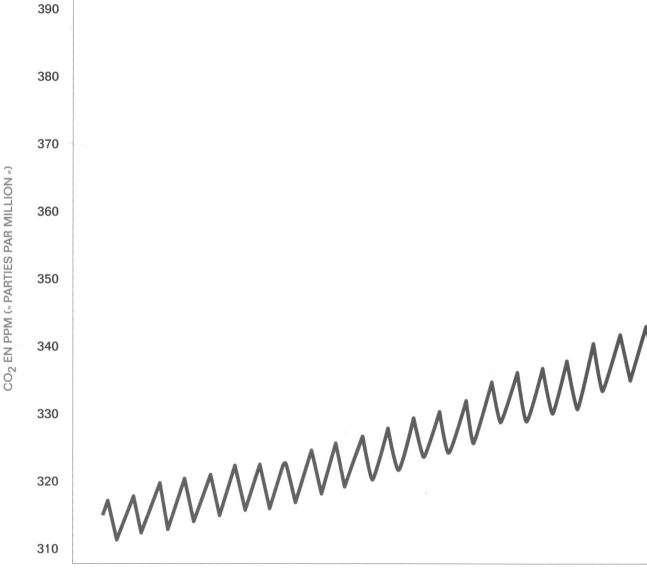

ÉVOLUTION DE LA QUANTITÉ DE CO₂ DANS L'ATMOSPHÈRE
MESURÉE À L'OBSERVATOIRE DE MAUNA LOA, HAWAII

La quantité de CO$_2$ dans l'atmosphère peut être mesurée. Mon extraordinaire professeur, le Dr Roger Revelle, fut le premier scientifique en 1958 à mesurer cette concentration de CO$_2$. Jour après jour, il fit noter avec précisions la quantité de CO$_2$ et constata une augmentation ininterrompue de ce taux, comme le montre ce graphique. Ces observations, poursuivies durant un demi-siècle après lui, constituent l'une des plus importantes séries de mesures continues de toute l'histoire de la science.

1985   1995   2005

Je demandai à Revelle pourquoi la courbe représentant la concentration de CO_2 dans l'atmosphère augmentait brusquement puis diminuait chaque année. Il m'expliqua que (comme on le voit sur cette image)

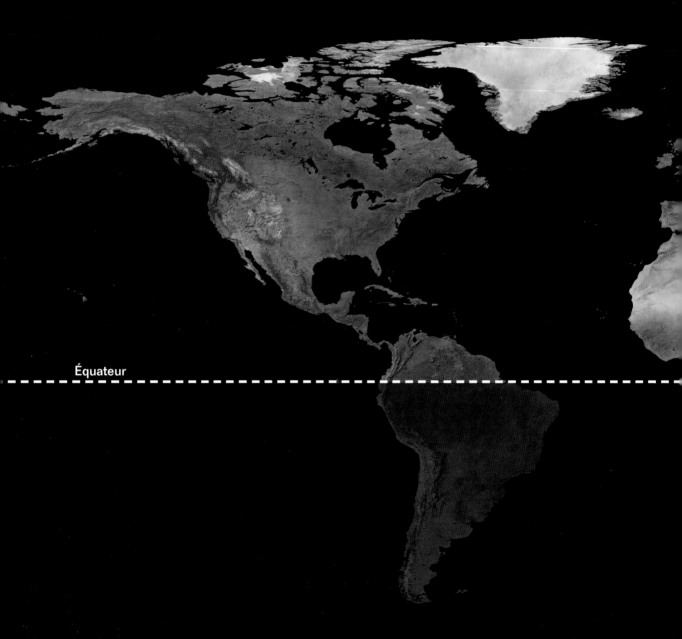

Équateur

l'immense majorité des masses terrestres est située au nord de l'équateur. Ce qui signifie que l'immense majorité de la végétation de la Terre se trouve aussi au nord de l'équateur.

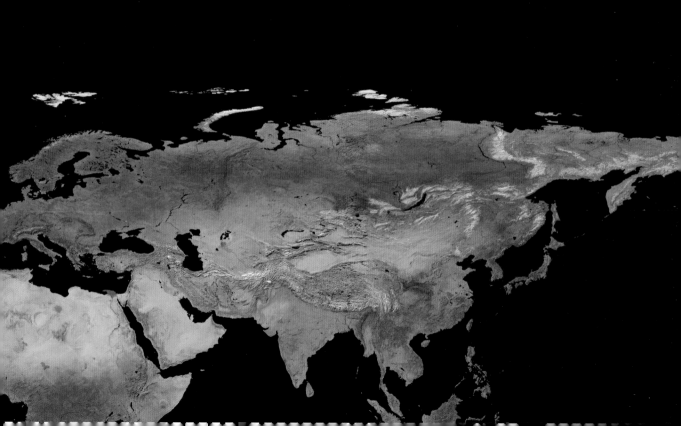

Quand l'hémisphère nord est incliné vers le Soleil durant le printemps et l'été, les feuilles des arbres poussent. Elles absorbent du CO_2, ce qui fait diminuer la concentration mondiale de CO_2.

Cependant, quand l'hémisphère nord s'incline à l'opposé du Soleil, en automne et en hiver, les feuilles tombent et relâchent du CO_2. La quantité de ce gaz dans « l'atmosphère » augmente de nouveau.
C'est comme si, une fois par an, la Terre prenait une profonde inspiration suivie d'une profonde expiration.
Le bilan de cette respiration donne l'accroissement annuel du CO_2.

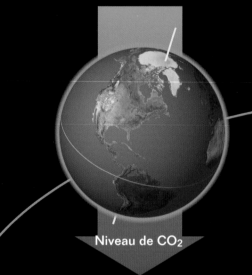

Niveau de CO_2

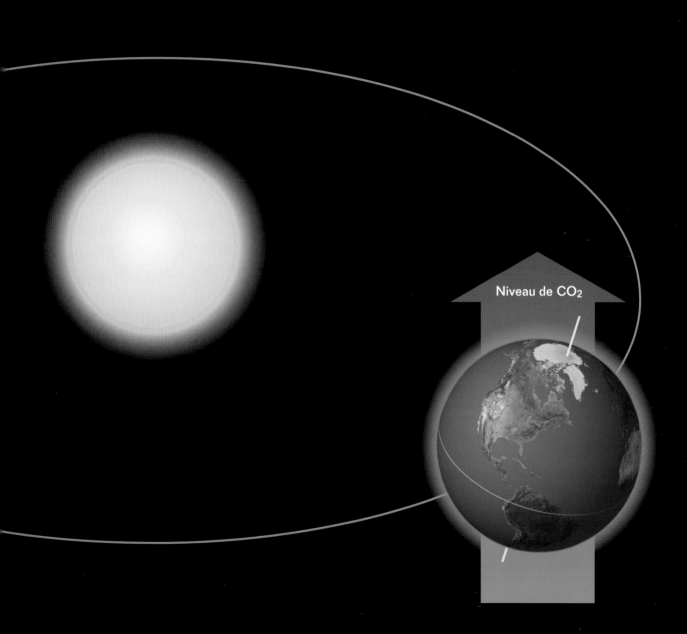

Niveau de CO$_2$

Chapitre Trois

UNE ÉVIDENCE FROIDE ET TERRIBLE

Voici un exemple dramatique des conséquences du bouleversement climatique. Ces deux photos montrent le célèbre mont Kilimandjaro, en Afrique. Sur celle du bas, prise en 1970, il apparaît splendide avec ses sommets enneigés. En haut, le même lieu, mais en 2005. Sans commentaire !

Le Dr Lonnie Thompson, un scientifique de renom, a prédit vers 2015 la disparition totale des « neiges du Kilimandjaro » décrites par le romancier Ernest Hemingway. Le voici à côté de ce qui ressemble à une stalactite géante. C'était autrefois un glacier !

Mont Kilimandjaro, Tanzanie, 1970.

Les glaciers sont de gigantesques masses de glace compacte, souvent très ancienne, qui s'écoulent lentement sur le sol. Ils sont en train de disparaître partout dans le monde.

Aux États-Unis, le parc national des Glaciers devra bientôt être rebaptisé « ancien parc national des Glaciers » !

Le glacier ci-dessous était une attraction touristique des années 1930.

Glacier Boulder, parc national des Glaciers, Montana, États-Unis, 1932.

De nos jours, il n'en reste plus rien ! J'ai fait l'ascension du plus grand glacier de ce parc avec l'une de mes filles en 1997, et les scientifiques qui nous accompagnaient disaient que, d'ici à quinze ans, tous les glaciers du parc auraient sans doute disparu.

Glacier Boulder, 1988.

Les glaciers sont en train de disparaître dans les Alpes, ce massif montagneux majestueux qui traverse la Suisse, la France, l'Italie, l'Autriche et l'Allemagne.

Voici une ancienne carte postale d'un glacier.

Glacier de Tschierva, Suisse, 1910.

Voici la même vue, aujourd'hui.

Glacier de Tschierva, 2001.

Il y a un siècle, cet hôtel était perché au-dessus du glacier.

Hôtel Belvédère, glacier du Rhône, Suisse, 1906.

Le même site, en 2003. L'hôtel est toujours là, mais le glacier a disparu…

Hôtel Belvédère, 2003.

Partout dans le monde, la même histoire se répète. La réserve d'eau douce que constituent les glaciers est en train de disparaître. Ces photos montrent un magnifique glacier à la pointe sud de l'Amérique latine, il y a soixante-quinze ans. De nos jours, il n'en reste rien.

Glacier Upsala, Patagonie, Argentine, 1928.

Glacier Upsala, 2004.

AUJOURD'HUI, LA PLUPART DES GLACIERS DE MONTAGNE DANS LE MONDE SONT EN TRAIN DE FONDRE, SOUVENT À UN RYTHME TRÈS RAPIDE.

Glacier Perito Moreno, Patagonie,
Argentine, 2003.

Le massif de l'Himalaya s'étend à travers l'Asie, avec les quatorze sommets les plus hauts du monde. Le mont Everest est le plus élevé.

Les glaciers de l'Himalaya situés sur le plateau tibétain sont parmi les plus touchés par le réchauffement du climat. Or, l'Himalaya fournit plus de la moitié de son eau potable à 40 % de la population mondiale, grâce à sept fleuves d'Asie qui, tous, prennent leur source sur ce plateau.

Si ces glaciers disparaissent dans le prochain demi-siècle, 2,6 milliards d'êtres humains devront faire face à un très grave déficit en eau potable, à moins que nous n'agissions rapidement et avec force.

LA CHINE, L'INDE, LE BANGLADESH ET LE PAKISTAN SONT DIRECTEMENT MENACÉS.

Indus

GLACIERS HIMALAYENS

Huang He
(fleuve Jaune)

Yangzi Jiang
(fleuve Bleu)

Mékong

Salouen

Brahmapoutre

Gange

Couches annuelles de glace,
glacier de Quelccaya, Pérou, 1977.

Sommes-nous certains que la fonte des glaciers est bien due à l'accroissement des gaz à effet de serre ?

OUI.

Nous le savons grâce à l'étude de la glace.

La glace se dépose en couches. Et chaque année une nouvelle couche se
forme. Vous pouvez les distinguer sur la photographie de gauche. En analysant la composition des différentes couches de glace (et leur variation), les
scientifiques, grâce à leurs connaissances, peuvent mesurer les variations
de températures annuelles.
De cette manière, on peut remonter dans le temps année après année, de la
même façon qu'un expert forestier peut lire les cernes du tronc d'un arbre,
en observant simplement les lignes claires qui séparent chaque année.

Scientifiques analysant les variations de
la composition de la glace, Huascarán,
Pérou, 1993.

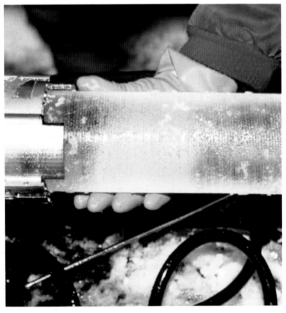

Glaciologue extrayant une carotte de glace,
Antarctique, 1993.

Ce graphique, obtenu grâce aux carottes de glace, montre que, durant les deux derniers siècles, les températures annuelles moyennes ont augmenté. Voici celles de ces mille dernières années observées dans l'hémisphère nord. La ligne «0,0» indique la température moyenne observée de 1961 à 1990. En rouge, les années où la température a été plus chaude, en bleu quand elle a été plus froide. Regardez attentivement ce qui s'est passé ces dernières années. Nous sommes toujours dans le rouge !

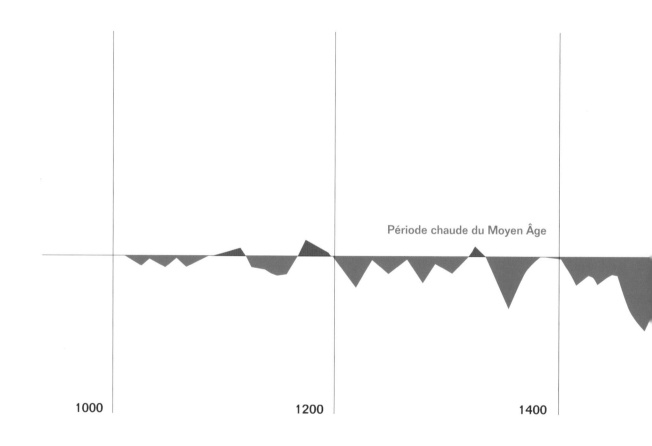

Période chaude du Moyen Âge

1000   1200   1400

Ceux qui ne croient pas au réchauffement du climat disent souvent que ce n'est qu'une illusion, et que les variations des températures annuelles se produisent de façon naturelle, sans lien avec des activités humaines. Ils prennent fréquemment comme argument la période chaude du Moyen Âge – le petit pic en rouge autour des années 1350. Mais cette pointe est bien petite, comparée à l'énorme accroissement des températures des cinquante dernières années – tout à droite du schéma.

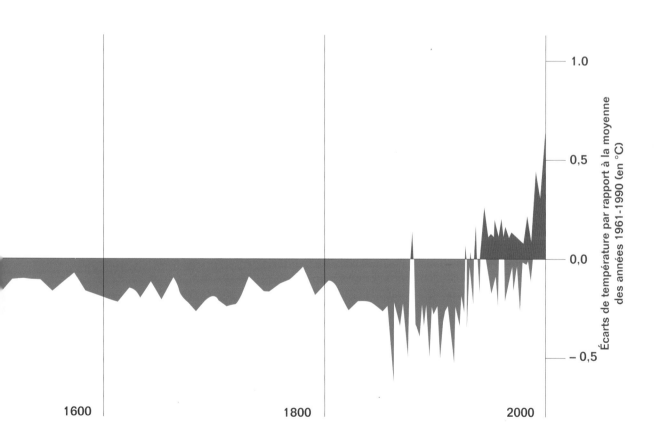

Pour le vérifier, le professeur Lonnie Thompson a emmené son équipe d'experts sur le sommet des glaciers partout dans le monde, pour forer la glace. Ils ont ensuite examiné les minuscules bulles d'air emprisonnées par la glace, et mesuré la quantité de CO_2 contenue dans l'atmosphère terrestre au cours des derniers 650 000 ans. Et cela, année après année. Dans le graphique ci-dessous, la ligne bleue montre les concentrations de CO_2 sur l'ensemble de cette longue période. La courbe grise indique les températures moyennes des 650 000 dernières années.

Si les niveaux de CO_2 étaient en relation avec les températures, alors, la courbe bleue et la courbe grise devraient suivre les mêmes variations. Et c'est bien ce qui se passe sur l'ensemble du graphique.

Mais, aujourd'hui, la ligne bleue a dépassé le niveau le plus élevé des 650 000 dernières années. L'accroissement soudain s'est produit au cours des deux derniers siècles, c'est-à-dire durant l'ère industrielle. Vous pouvez voir à quelle hauteur se situera le niveau de CO_2 dans les quarante-cinq prochaines années, si l'on en croit les experts, en regardant le point rouge tout en haut à droite. Cela signifie que les températures mondiales vont continuer de monter et de monter encore.

Mesures de la concentration en CO_2

Évolution de la température

Années (jusqu'à aujourd'hui)   600 000   500 000

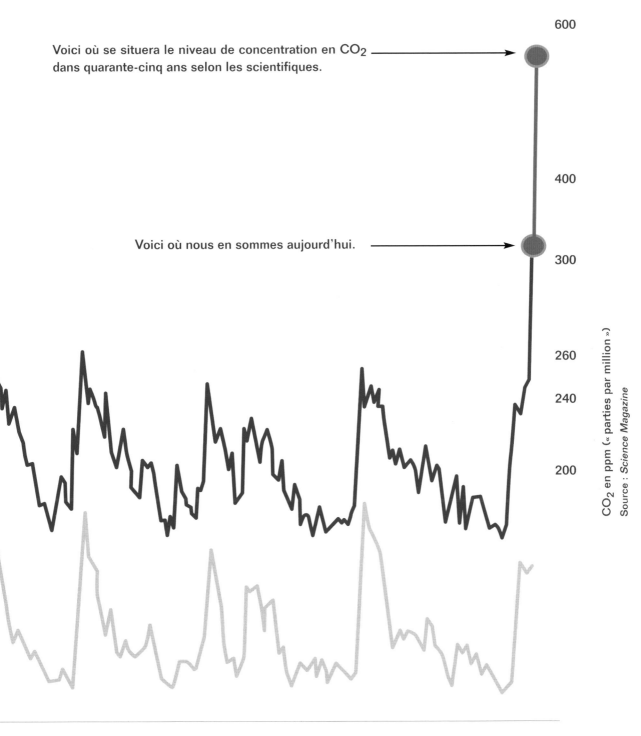

Ce graphique illustre l'augmentation de la température, des années 1860 jusqu'à nos jours. C'est un calendrier beaucoup plus précis que le précédent : il offre une vue en gros plan de l'évolution des températures. La ligne droite, au niveau «0», représente la température moyenne de 1961 à 1990. Entre 1950 et 1970, on constate plusieurs baisses des températures moyennes. Mais la tendance générale est à l'élévation des températures. Et durant les années les plus récentes, depuis la décennie 1980, le taux d'accroissement s'est accéléré. En fait, sur les vingt et une années les plus chaudes du graphique, vingt se situent durant le dernier quart de siècle.

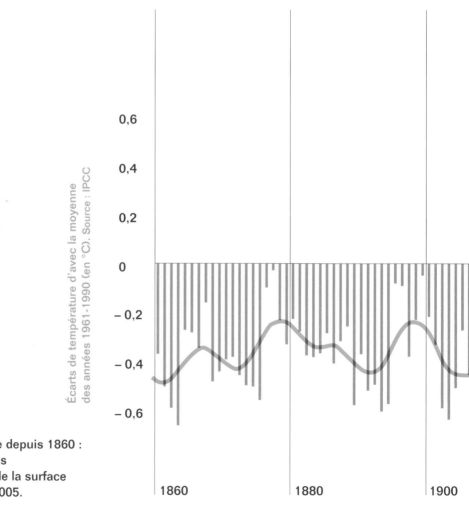

Températures du globe depuis 1860 :
température combinées
de la terre, de l'air et de la surface
de la mer, de 1860 à 2005.

L'ANNÉE LA PLUS CHAUDE
DE TOUTE LA PÉRIODE A ÉTÉ 2005.

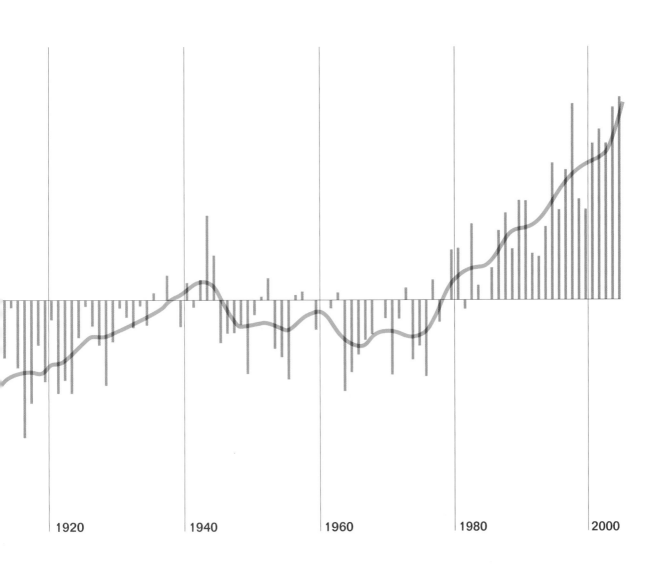

1920   1940   1960   1980   2000

Nous subissons déjà des vagues de chaleur dont les scientifiques disent qu'elles deviendront de plus en plus fréquentes si nous ne prenons aucune mesure contre le réchauffement du climat.

DURANT L'ÉTÉ 2003, EN EUROPE, LA CANICULE A FAIT 35 000 VICTIMES.

Au zoo de Munich (Allemagne), pendant la canicule de 2003.

Durant l'été 2005, de nombreuses villes de l'ouest des États-Unis ont battu leurs records de température et du nombre de jours consécutifs au-dessus de 38 °C. En tout, plus de deux cents villes de l'ouest du pays ont battu leurs records de chaleur.

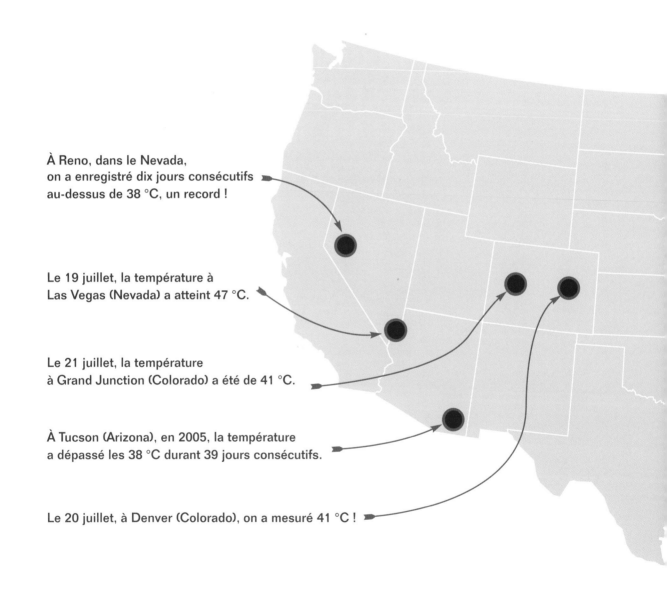

À Reno, dans le Nevada, on a enregistré dix jours consécutifs au-dessus de 38 °C, un record !

Le 19 juillet, la température à Las Vegas (Nevada) a atteint 47 °C.

Le 21 juillet, la température à Grand Junction (Colorado) a été de 41 °C.

À Tucson (Arizona), en 2005, la température a dépassé les 38 °C durant 39 jours consécutifs.

Le 20 juillet, à Denver (Colorado), on a mesuré 41 °C !

Et, dans l'est, beaucoup de villes ont, elles aussi, battu leurs records de température ; parmi elles, La Nouvelle-Orléans.

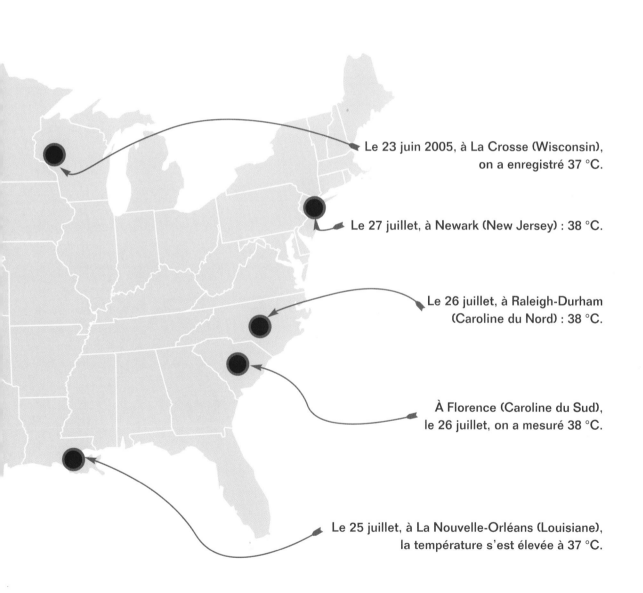

Le 23 juin 2005, à La Crosse (Wisconsin), on a enregistré 37 °C.

Le 27 juillet, à Newark (New Jersey) : 38 °C.

Le 26 juillet, à Raleigh-Durham (Caroline du Nord) : 38 °C.

À Florence (Caroline du Sud), le 26 juillet, on a mesuré 38 °C.

Le 25 juillet, à La Nouvelle-Orléans (Louisiane), la température s'est élevée à 37 °C.

Des températures très élevées assèchent les sols, qui ont besoin d'humidité pour fournir de saines récoltes. Si, comme ici aux États-Unis, nous continuons d'augmenter la concentration du CO_2 dans l'atmosphère, dans moins de cinquante ans de vastes étendues de sols cultivables seront asséchées.

UN CLIMAT TROP CHAUD RÉDUIRA LES PERFORMANCES DE NOTRE AGRICULTURE.

Fermier dans un champ ravagé par la sécheresse, comté de Wharton, Texas, États-Unis, 1998.

À mesure que les sols et les feuilles se dessèchent, les feux de forêts deviennent de plus en plus fréquents. De plus, l'air plus chaud entraîne davantage d'éclairs, ce qui est une autre cause de feux accidentels. Le graphique ci-dessous montre l'augmentation continue des feux de forêts en Amérique du Nord et du Sud au cours des cinquante dernières années. On constate la même évolution sur les autres continents… à part sur l'étendue glacée et sans arbres de l'Antarctique !

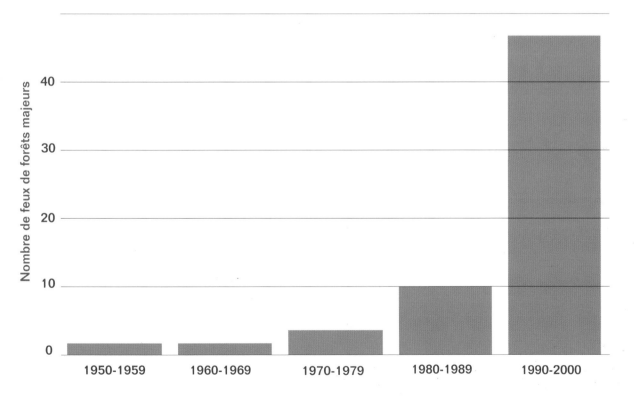

NOMBRE DE FEUX DE FORÊTS MAJEURS
EN AMÉRIQUE (NORD ET SUD) PAR DÉCENNIE

Source : Millenium Ecosystem Assessment

Chapitre Quatre

SURVEILLER LES OURAGANS

Plus l'eau des océans est chaude, en surface et à faible profondeur, plus les ouragans sont fréquents et puissants. C'est ce que confirment un nombre croissant d'études scientifiques. Un ouragan est une tempête qui se produit au-dessus des océans, avec des vents d'une vitesse supérieure à 118 kilomètres/heure. On l'appelle «cyclone» dans l'Atlantique, «typhon» dans le Pacifique. L'idée selon laquelle le réchauffement du climat entraînerait des ouragans plus fréquents (et d'une intensité plus forte) est maintenant largement acceptée.

Les ouragans touchent désormais des zones dans lesquelles ils ne se produisaient jamais auparavant. En 2004, il a fallu corriger les manuels scientifiques qui affirmaient qu'il était impossible que se produisent des cyclones dans l'Atlantique sud. Mais cette année-là, pour la première fois, un cyclone frappa le Brésil.

Le cyclone Ivan atteignant le sud des États-Unis en septembre 2004.

2004 A ÉTÉ UNE ANNÉE RECORD
POUR LES TYPHONS AU JAPON.

Ils firent rage durant les mois d'été, avec des vents atteignant 280 kilo-mètres/heure.

En 2004, dix typhons ont frappé le Japon. Le précédent record était de six.

Le typhon Namtheum,
au large des côtes japonaises, juillet 2004.

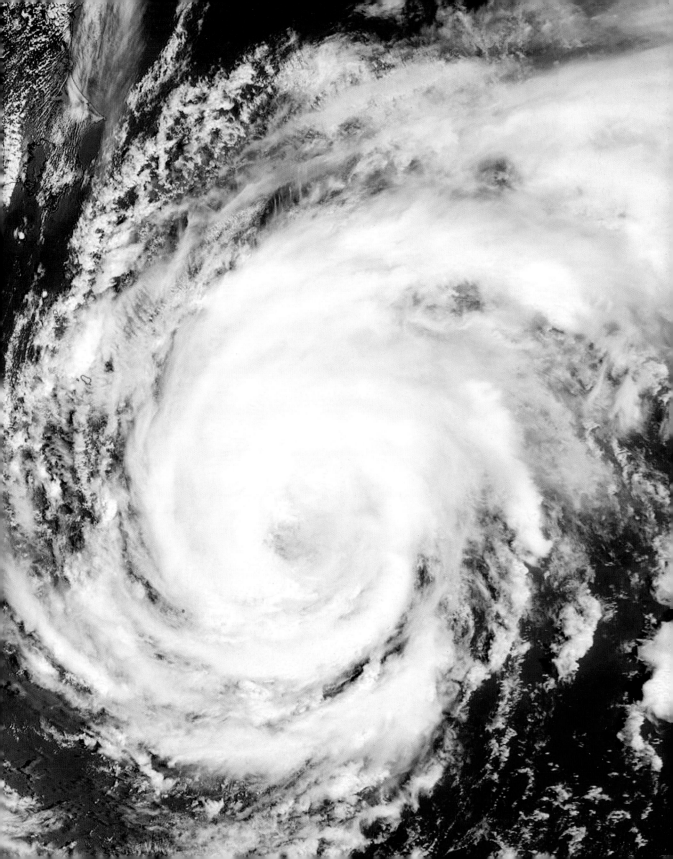

Les tornades sont des tempêtes se produisant à l'intérieur des terres.
Elles ont la forme de gigantesques entonnoirs de vents tourbillonnants.
Elles sont souvent des vestiges de cyclones.

**EN 2004, LE RECORD DU NOMBRE
DE TORNADES AUX ÉTATS-UNIS
A ÉTÉ BATTU : 1819 !**

LES TEMPÊTES SONT
DE PLUS EN PLUS PUISSANTES.

Ces dernières années, on a observé une augmentation significative du nombre des ouragans les plus violents – de catégorie 4, (avec des vents de 210 à 250 kilomètres/heure), et de catégorie 5, (avec des vents supérieurs à 250 kilomètres/heure).

En 2005, moins d'un mois avant le cyclone Katrina, une étude du fameux Massachusetts Institute of Technology (MIT) montra que, depuis les années 1970, les tempêtes dans l'Atlantique et le Pacifique avaient augmenté en intensité d'environ 50 %. C'est stupéfiant. Même si nous n'habitons pas là où se produisent ces supertempêtes, nous constatons tous leur puissance destructrice lorsque nous suivons les informations.

L'étude du MIT va dans le sens du consensus scientifique selon lequel le réchauffement du climat est responsable de l'accroissement de puissance des tempêtes.

En 2005, il s'est produit tellement de tempêtes tropicales et de cyclones que l'on a épuisé les lettres de l'alphabet avec lesquelles nous les appelons. Pour la première fois, l'Organisation météorologique mondiale a commencé à utiliser des lettres de l'alphabet grec, pour nommer des ouragans qui se sont produits en décembre, bien après la fin de la saison habituelle des cyclones.

Dommages causés par le cyclone Emily,
La Pesca, Mexique, juillet 2005.

VOICI LES NOMS DES 27 OURAGANS DE 2005.

Arlene

Bret

Cindy

Gert

Harvey

Irene

Jose

Nate

Ophelia

Philippe

Rita

Wilma

Alpha

Beta

Gamma

Dennis

Emily

Franklin

Katrina

Lee

Maria

Stan

Tammy

Vince

Delta

Epsilon

Zeta

LA TEMPÊTE LA PLUS DRAMATIQUE S'EST PRODUITE FIN AOÛT 2005, AVEC LE CYCLONE KATRINA.

Quand il frappa pour la première fois la côte de Floride, Katrina n'était encore qu'un cyclone de catégorie 1. Mais, déjà, il tua une douzaine de personnes et provoqua des milliards de dollars de dégâts.

Puis le cyclone passa au-dessus des eaux anormalement chaudes du golfe du Mexique. À ce moment-là, il devint un cyclone de catégorie 5, l'une des plus puissantes tempêtes jamais enregistrées, avec des vents atteignant 280 kilomètres/heure. Bien qu'il fût redescendu en catégorie 3 au moment où il frappa La Nouvelle-Orléans, Katrina causa des destructions effroyables. Il n'y a pas de mots pour les décrire. Le système de digues construit pour protéger la ville des inondations se rompit, et l'agglomération fut submergée et dévastée en peu de temps.

Personnes évacuées à la suite du cyclone Katrina, devant le Superdome, à La Nouvelle-Orléans, Louisiane, septembre 2005.

Réfugiés à la suite du cyclone Katrina à l'Astrodome de Houston, Texas, États-Unis, septembre 2005.

Sur cette photo, prise six mois plus tard, en février 2006,
on constate que le nettoyage de La Nouvelle-Orléans avait alors à peine commencé.

LA NOUVELLE-ORLÉANS, L'UNE
DES PLUS GRANDES VILLES AMÉRICAINES,
A ÉTÉ SUBMERGÉE PAR LES EAUX.
PLUS D'UN AN APRÈS, LES RÉPARATIONS
N'EN SONT QU'À LEURS DÉBUTS.

Chapitre Cinq

EXTRÊMEMENT HUMIDE, EXTRÊMEMENT SEC

Durant l'été 2005, alors que les États-Unis étaient ravagés par des cyclones, l'Europe vivait une série d'inondations désastreuses. Lorsque les conditions sont réunies pour qu'un orage provoque une averse, celle-ci prend le plus souvent la forme de très fortes pluies (ou de chutes de neige en hiver). Sur le graphique ci-dessous, on constate que, de 1950 à 1960, il y a eu moins de 50 inondations majeures dans toute l'Asie (la colonne rouge à droite). Et, pour la décennie 1990-2000, ce nombre est passé à 325 !

NOMBRE D'INONDATIONS MAJEURES PAR CONTINENT ET PAR DÉCENNIE

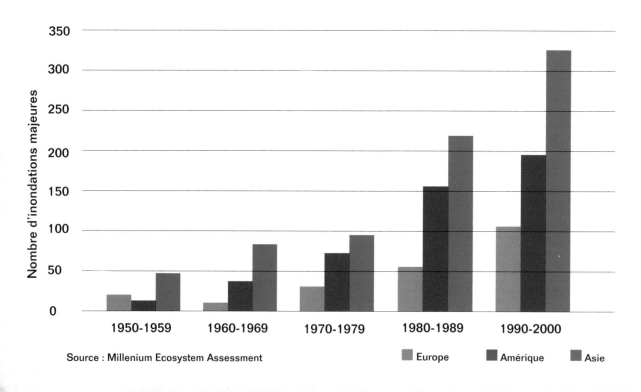

Source : Millenium Ecosystem Assessment

■ Europe   ■ Amérique   ■ Asie

Le quai Schweizerhof inondé,
Lucerne, Suisse, août 2005.

Employés se rendant au travail après des pluies torrentielles,
Mumbai, Inde, juillet 2005.

En juillet 2005 sont tombés sur la ville de Mumbai, en Inde, plus de 90 centimètres de pluie en vingt-quatre heures. C'était, de loin, la plus importante précipitation qu'une ville d'Inde ait jamais reçue en une seule journée. Le niveau des eaux atteignit plus de 2 mètres. On dénombra près de mille morts dans l'ouest du pays. La photo de gauche montre Mumbai le lendemain, à l'heure de pointe, alors que des milliers de personnes se rendent à leur travail.

Le réchauffement du climat provoque dans certaines régions des pluies diluviennes, tandis que d'autres zones subissent des sécheresses inhabituelles. En Chine, en 2005, il se produisit une sécheresse dans la province de l'Anhui, tandis que des provinces voisines furent victimes d'inondations.

Sécheresse dans la province de l'Anhui, Chine, juin 2005.

Globalement, le volume des précipitations a augmenté de près de 20 % au cours du siècle dernier. Mais les effets du changement climatique ne sont pas les mêmes partout. Sur cette carte, les points bleus indiquent les zones où les précipitations se sont accrues, les points orange celles où elles ont baissé. Plus le point est grand, plus la variation a été importante.

Précipitations en baisse

− 50 %   − 40 %   − 30 %   − 20 %   − 10 %

Un changement dans un sens ou dans l'autre peut avoir des conséquences dramatiques pour la population. Regardez par exemple les zones de l'Afrique situées en bordure du désert du Sahara. Toujours sèches, elles reçoivent seulement la moitié des précipitations habituellement observées auparavant. Sans pluie, on ne peut obtenir de récoltes, et les gens meurent de faim.

Précipitations en hausse

+ 10 %   + 20 %   + 30 %   + 40 %   + 50 %

Le lac Tchad a disparu !

En Afrique centrale, il existait un lac immense. Il y a quarante ans, le lac Tchad était le sixième plus grand lac du monde, cinquante fois plus étendu que le lac Léman. Les populations des pays qui bordent le lac (Tchad, Cameroun, Nigeria et Niger) en dépendent pour l'irrigation de leurs récoltes, la pêche, le bétail et l'eau potable. Du fait des pluies plus rares et de la surexploitation par les hommes, le lac Tchad s'est réduit à 5 % de sa taille d'origine.

Lac Tchad, Afrique.

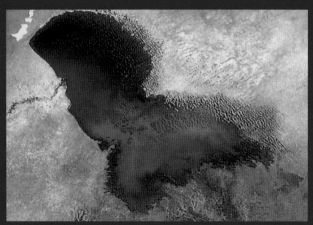

1963

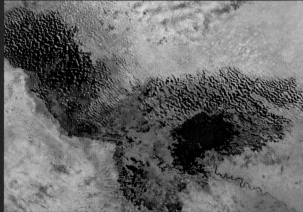

1973

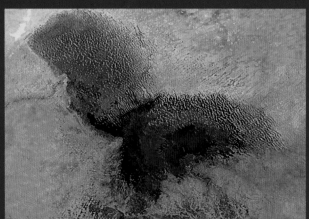

1987

2001

La disparition du lac Tchad a fait exploser les conflits entre les peuples des pays voisins, dont les relations étaient déjà tendues. Ainsi, lorsque les Nigérians voulurent continuer de pêcher dans les eaux qui s'étaient retirées vers le territoire camerounais, des incidents armés éclatèrent. Lorsque des paysans se mirent à cultiver le fond du lac qui s'était découvert, il y eut là encore des conflits de propriété.

La plupart des Africains dépendent littéralement des fruits de leur travail. Ils se nourrissent grâce à leurs seules récoltes. Lorsqu'elles manquent, tout s'écroule. Parfois, on suggère que les Africains sont responsables de cette situation, parce qu'ils gèrent mal leurs ressources en eau. Mais plus nous en apprenons sur le changement du climat, plus il apparaît que seuls les pays développés sont à l'origine de ce bouleversement. Ce sont eux les véritables responsables.

Mère soudanaise et son enfant, dans un dispensaire alimentaire, Kalma, sud du Darfour, 2005.

Pourquoi ? Voici les chiffres : les États-Unis émettent environ 25 % du total mondial des gaz à effet de serre, alors que l'ensemble du continent africain n'en émet que 2,5 %. De la même manière que nous ne voyons pas les gaz à effet de serre à l'œil nu, nous ne pouvons pas non plus imaginer leur impact dans les pays les plus éloignés de nous. Nous contribuons cependant à déclencher des drames en Afrique, et nous avons le devoir d'y remédier.

Chapitre Six

AUX CONFINS DE LA TERRE : LE PÔLE NORD

Deux régions de la Terre sont particulièrement sensibles aux modifications climatiques : l'Arctique et l'Antarctique.

Les changements s'y sont produits plus tôt et avec une intensité plus forte que n'importe où ailleurs. Bien qu'elles se ressemblent énormément – de la neige et de la glace à perte de vue –, ce sont deux endroits en réalité très différents. L'Arctique est un océan entouré de terres, tandis que l'Antarctique est une terre entourée d'eau.

Source : *Composite Gazetteer of Antarctica*, © Her Majesty the Queen in right of Canada, Natural Resources of Canada, 2001

KR

KP

CHINE

M

Japon

Ligne internationale du changement de date

ALAS

US

Cer

OCÉAN PACIFIQUE

Si surprenant que cela puisse paraître, l'épaisseur de la calotte glaciaire arctique n'est que de 3 mètres environ en moyenne. En-dessous, c'est l'océan. Elle en est d'autant plus fragile.

Une plate-forme glaciaire est une épaisse plaque de glace rattachée au littoral et flottant sur l'océan. Cette photo montre la plate-forme glaciaire de Ward Hunt, rattachée au littoral canadien, la plus étendue de l'Arctique.

EN 2002, ELLE S'EST FENDUE EN DEUX, AU GRAND ÉTONNEMENT DES SCIENTIFIQUES. CELA NE S'ÉTAIT JAMAIS PRODUIT AUPARAVANT.

Des chercheurs examinent la fracture de la plate-forme de Ward Hunt,
au Nunavut, Canada, 2002.

La calotte glaciaire arctique est en train de fondre très vite. Et comme elle est mince et qu'elle flotte sur l'eau, plus elle fond, plus elle fond vite. Voici l'explication de ce phénomène.

Les illustrations montrent que la glace réfléchit des rayons solaires, comme un miroir géant. Mais la mer, elle, absorbe la plupart de cette chaleur. Ainsi, à mesure que l'eau chauffe, elle tend à faire fondre la glace qui est en contact avec elle. Et plus la glace fond, plus la surface de mer qui s'échauffe grâce aux rayons du soleil est étendue, et plus la mer, à son tour, réchauffe la glace… qui fond de plus en plus vite. Ainsi, la calotte glaciaire recule à cause du réchauffement du climat. Il existe désormais des études montrant que si nous continuons à relâcher des gaz à effet de serre au taux actuel, l'Arctique disparaîtra chaque année en été.

Cette situation est dangereuse pour nous tous, car la calotte glaciaire arctique joue un rôle crucial dans le refroidissement de l'ensemble de la planète.

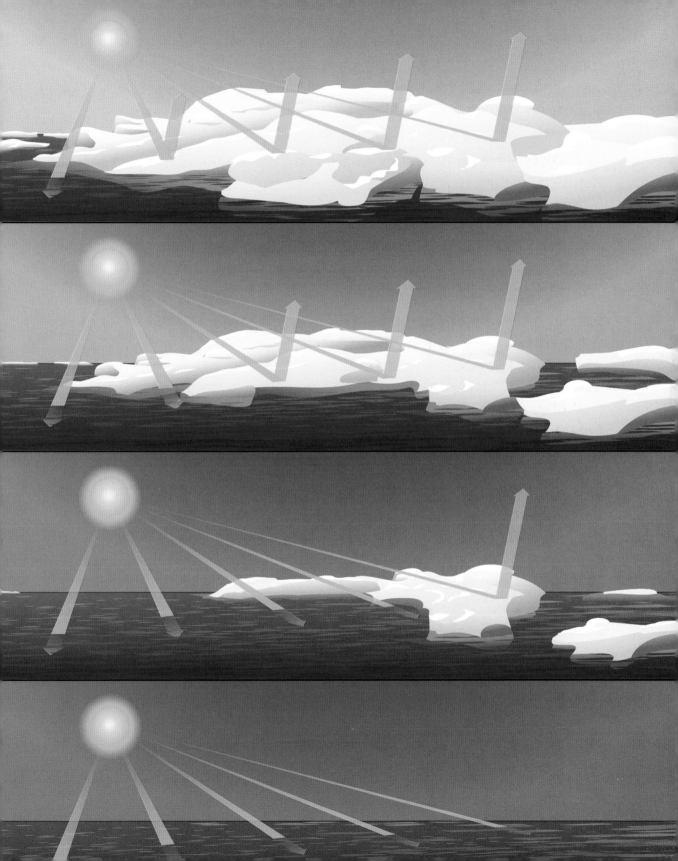

La fonte de la calotte polaire est une très mauvaise nouvelle pour les ours polaires, qui se déplacent de banquise en banquise, à la recherche de leur gibier, les phoques.

La glace a tellement fondu que les ours doivent maintenant nager sur des distances de plus en plus grandes. Pour la première fois, certains s'épuisent et se noient avant d'atteindre la banquise suivante.

L'OURS POLAIRE EST L'UNE DES ESPÈCES ANIMALES EN GRAND DANGER DE DISPARITION RAPIDE.

Une ourse polaire et son petit sur un morceau de banquise, Spitzbergen, Norvège, 2002.

EN ALASKA, ON SURNOMME CES ÉPICÉAS « LES ARBRES IVRES » PARCE QU'ILS POUSSENT DANS TOUTES LES DIRECTIONS.

Ces arbres ont très profondément enfoncé leurs racines dans la toundra gelée, il y a des décennies, voire des siècles ; aujourd'hui, à mesure que le sol fond, ils perdent leur ancrage, ce qui les fait s'incliner ainsi en tous sens.

Épicéas, nord de Fairbanks, Alaska, États-Unis, 2004.

Un immeuble effondré en Sibérie.

Une maison abandonnée en Alaska.

Les terres situées au nord du cercle polaire sont gelées durant presque toute l'année. La partie du sol qui reste toujours gelée est appelée « permafrost ». Mais le réchauffement climatique a commencé à dégeler celui-ci. C'est pourquoi l'immeuble que vous voyez (page ci-contre en haut), situé en Sibérie, s'est effondré. Il était bien bâti sur le permafrost, mais celui-ci a cédé sous son poids. Et c'est pour la même raison que cette maison en Alaska (page ci-contre en bas) a dû être abandonnée par son propriétaire.

Le Conseil de l'Arctique a récemment publié une étude sur les dommages que subiront les infrastructures, en raison de la fonte de la toundra gelée, autour de l'hémisphère nord. Les zones marquées en rose sont celles où les dommages seront les plus importants. C'est la Sibérie qui sera la plus touchée, avec 1 million de kilomètres carrés de terres gelées depuis le de dernier âge glaciaire. Selon les scientifiques, cette zone de toundra renferme 70 milliards de tonnes de carbone. Or, la toundra est désormais rendue instable par la fonte du permafrost. Le carbone va être libéré dans l'atmosphère. Or, il correspond à dix fois la quantité de carbone émise chaque année par des sources liées à l'homme.

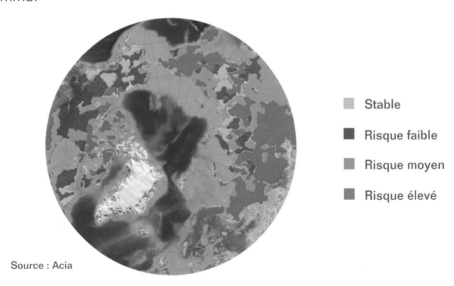

- Stable
- Risque faible
- Risque moyen
- Risque élevé

Source : Acia

Chapitre Sept

AUX CONFINS DE LA TERRE : LE PÔLE SUD

L'Antarctique est un lieu totalement irréel, blanc jusqu'à l'infini, immense et froid, bien plus encore que l'Arctique. Une autre planète ! À la différence de la fine couche de glace de l'Arctique, la calotte glaciaire antarctique mesure environ 3 000 mètres d'épaisseur.

Cette énorme quantité de neige et de glace masque un fait surprenant : l'Antarctique est en réalité un désert, selon la définition technique, car il reçoit moins de 1 mètre de précipitation par an. Un désert, mais glacé !

Un nombre significatif de manchots, de phoques et d'oiseaux habitent en bordure de l'Antarctique et trouvent leur nourriture dans l'océan. Mais, dès qu'on s'aventure un peu plus à l'intérieur des terres, il n'y a absolument plus aucun signe de vie, mis à part de petits groupes de scientifiques qui ne s'éloignent que rarement de leurs laboratoires bien chauffés.

Source : *Composite Gazetteer of Antarctica*,
© Her Majesty the Queen in right of Canada, Natural Resources of Canada, 2001

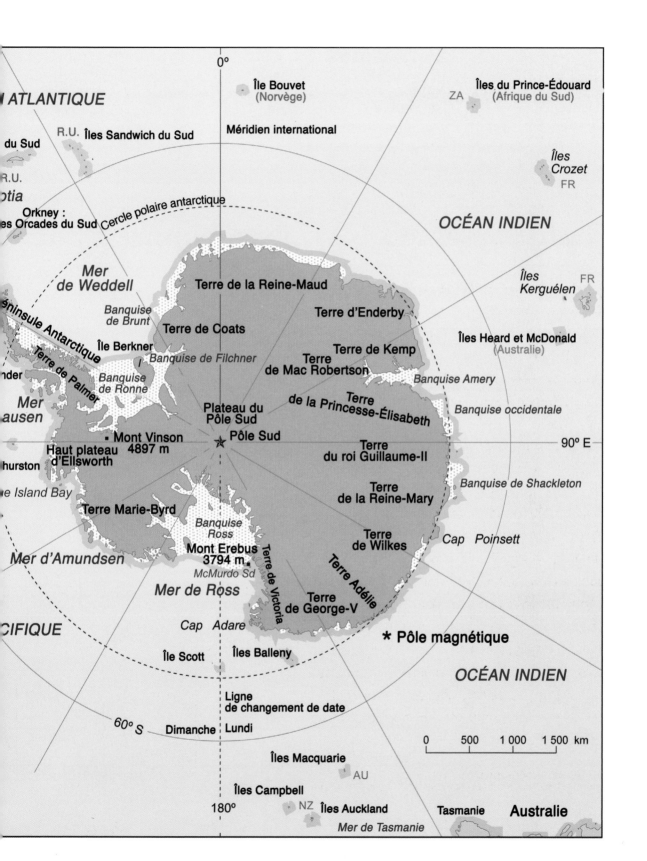

ATLANTIQUE

Île Bouvet
(Norvège)

Îles du Prince-Édouard
(Afrique du Sud)

ZA

R.U. Îles Sandwich du Sud

Méridien international

Îles
Crozet

FR

du Sud

R.U.

otia

Orkney :
es Orcades du Sud

Cercle polaire antarctique

OCÉAN INDIEN

Mer
de Weddell

Terre de la Reine-Maud

Terre d'Enderby

Îles
Kerguélen

FR

Banquise
de Brunt

Terre de Coats

Terre de Kemp

Îles Heard et McDonald
(Australie)

éninsule Antarctique

Île Berkner

Banquise de Filchner

Terre
de Mac Robertson

Banquise Amery

Terre de Palmer

nder

Banquise
de Ronne

Terre
de la Princesse-Élisabeth

Banquise occidentale

Mer
ausen

Plateau du
Pôle Sud

Mont Vinson
4897 m

Pôle Sud

Terre
du roi Guillaume-II

90° E

Haut plateau
d'Ellsworth

hurston

Terre
de la Reine-Mary

Banquise de Shackleton

e Island Bay

Terre Marie-Byrd

Banquise
Ross

Terre
de Wilkes

Cap   Poinsett

Mer d'Amundsen

Mont Erebus
3794 m.

McMurdo Sd

Terre de Victoria

Terre Adélie

Mer de Ross

Terre
de George-V

＊ Pôle magnétique

CIFIQUE

Cap   Adare

Île Scott

Îles Balleny

OCÉAN INDIEN

Ligne
de changement de date

60° S   Dimanche Lundi

0   500   1 000   1 500 km

Îles Macquarie

AU

Îles Campbell

180°   NZ Îles Auckland

Tasmanie   **Australie**

Mer de Tasmanie

Le film documentaire *La Marche de l'empereur* a connu un grand succès en 2005. Cependant, il s'est abstenu de montrer que la population de manchots est en train de baisser cruellement. Depuis les années 1970, l'environnement naturel des manchots n'a cessé de se réchauffer et la population des manchots empereurs a baissé d'environ 70 %, au cours des cinquante dernières années.

POURQUOI ?

D'une décennie à l'autre, l'océan Austral subit des changements de climat qui entraînent une baisse de la quantité de krill, plancton constitué de petits crustacés, principale source de nourriture des manchots. En outre, la banquise fragilisée se brise plus facilement, et dérive au large, emportant avec elle les jeunes manchots, qui se noient souvent.
Les scientifiques pensent que le réchauffement climatique
en serait le principal responsable.

Une famille de manchots empereurs,
mer de Weddell, Antarctique.

En 1978, un scientifique lança un avertissement : si une plate-forme de glace flottante se brisait, ce serait le signe d'un réchauffement dangereux dans l'Antarctique.

Sur la carte de droite, voici la péninsule Antarctique, à l'ouest du continent. Chaque tache orange représente des plates-formes de plusieurs milliers de kilomètres carrés qui se sont brisées depuis 1978.

Plate-forme Larsen-B. Sur la carte de droite, elle figure en rouge. La glace s'élève à plus de 200 mètres au-dessus de la surface de l'océan, soit la hauteur d'un gratte-ciel de 70 étages.

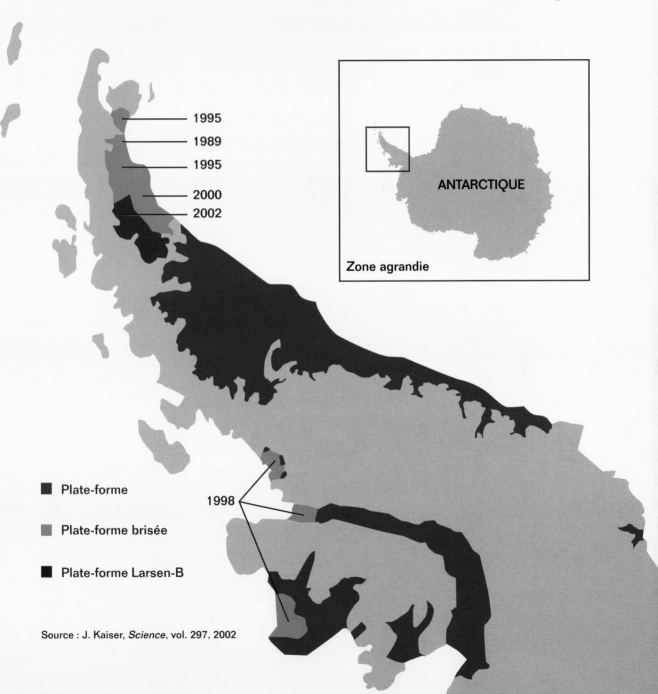

DISPARITION DES PLATES-FORMES GLACIAIRES DE L'ANTARCTIQUE

1995
1989
1995
2000
2002

ANTARCTIQUE

Zone agrandie

1998

■ Plate-forme

■ Plate-forme brisée

■ Plate-forme Larsen-B

Source : J. Kaiser, *Science*, vol. 297, 2002

Source : J. Kaiser, *Science*, 2002

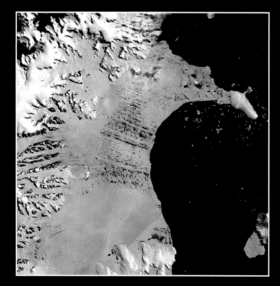

Image satellite de la plate-forme Larsen-B, 31 janvier 2002.

17 février 2002.

En 2002, la plate-forme Larsen-B mesurait environ 240 kilomètres de long sur 48 de large. Les scientifiques pensaient qu'elle serait stable encore un siècle au moins – en dépit du réchauffement climatique. Mais, à partir du 31 janvier, elle s'est brisée en deux en l'espace de trente-cinq jours ! Les scientifiques en ont été stupéfaits.

Ils n'avaient pas pris en compte l'effet des trous d'eau éparpillés à la surface de la glace. (Vous pouvez les voir sur les images : ce sont les rayures noires sur le blanc.) Les scientifiques avaient cru que l'eau de fonte gelait en s'enfonçant dans la glace. Mais les choses ne se passent pas ainsi : l'eau s'enfonce sans geler, et creuse des galeries qui transforment la plate-forme en une sorte de gruyère, ce qui la fragilise.

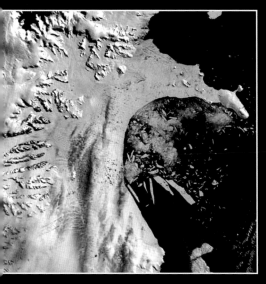

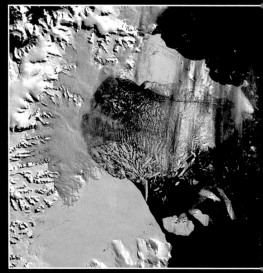

23 février 2002.

5 mars 2002.

C'est d'abord la masse de la plate-forme qui repose directement sur la mer qui se casse. Puis la glace qui repose encore sur la terre, donc en arrière de la plate-forme, devient instable, et elle commence à glisser très lentement vers la mer, en contrebas. Elle finit alors par tomber à l'eau, ce qui a pour effet d'élever le niveau de la mer.

**Le niveau des mers va continuer
de s'élever partout dans le monde,
à moins que nous ne maîtrisions
le réchauffement du climat.**

Glace se brisant à l'avant d'un glacier, 1995.

À l'est de l'Antarctique se trouve la plus vaste masse de glace de la Terre. Nous avons longtemps pensé qu'elle continuait de croître, mais des études scientifiques datant de 2006 ont montré que cette plate-forme décline, et que la plupart de ses glaciers s'écoulent de plus en plus vite vers la mer.

Des scientifiques ont mesuré la température de l'air au-dessus de la glace et prouvé que celle-ci s'élevait plus vite que partout ailleurs dans le monde. Ce fut une surprise inexplicable.

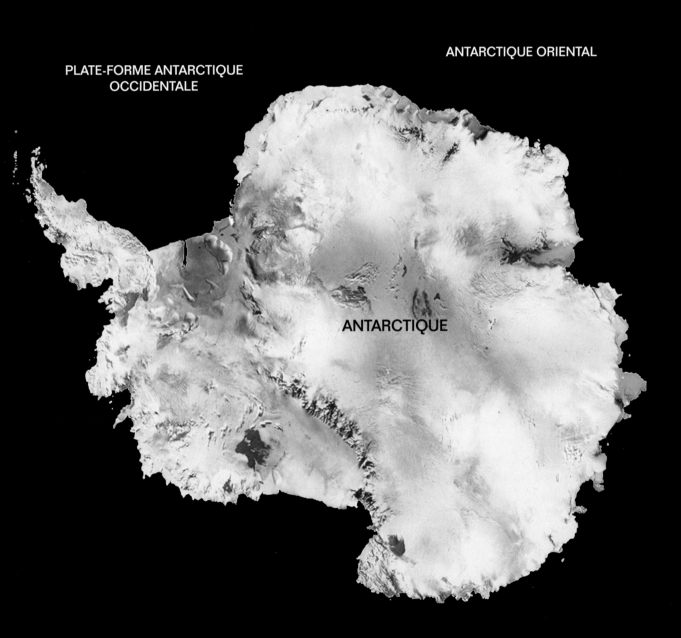

PLATE-FORME ANTARCTIQUE
OCCIDENTALE

ANTARCTIQUE ORIENTAL

ANTARCTIQUE

Bien que, géographiquement, la majeure partie du Groenland se trouve à l'intérieur du cercle polaire arctique, physiquement, il est plus proche de l'Antarctique que du pôle Nord. Le Groenland est à peu près aussi étendu que l'actuelle plate-forme antarctique occidentale. C'est une terre surmontée d'un dôme de glace d'environ 1 500 mètres d'épaisseur.

Si le Groenland fondait entièrement, ou se brisait et glissait dans l'océan, cela ferait monter le niveau des mers de 6 mètres. Une hausse similaire se produirait si la plate-forme antarctique occidentale disparaissait elle aussi dans la mer.

LE GROENLAND EST EN TRAIN DE FONDRE, ET VA PEUT-ÊTRE DISPARAÎTRE.

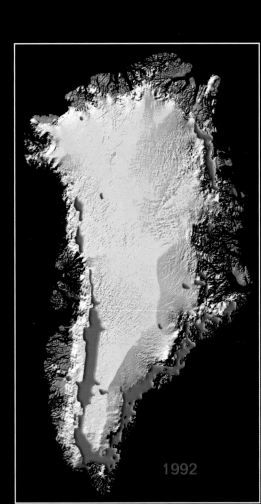

1992

Les zones en rouge sur les cartes montrent la fonte des glaces
au Groenland en 1992, puis dix ans plus tard,
et enfin seulement trois ans plus tard, en 2005.

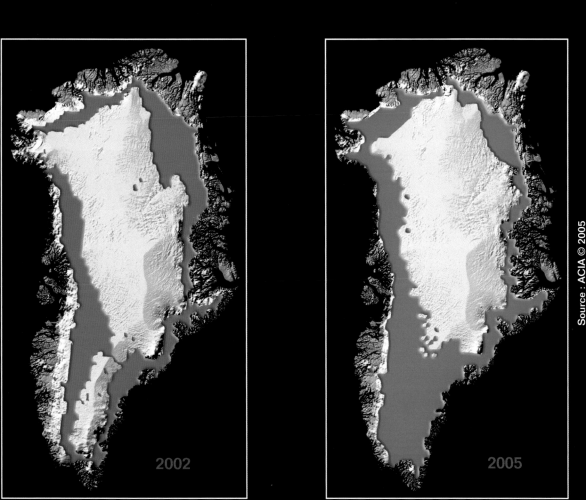

2002

2005

Source : ACIA © 2005

J'ai visité le Groenland deux fois. En 2005, je l'ai survolé et j'ai vu de mes yeux les lacs d'eau de fonte. Ces lacs ont toujours existé, mais ils sont aujourd'hui plus nombreux et plus dispersés qu'auparavant. C'est important de le constater, car il s'agit du même type de lacs d'eau de fonte que ceux que les scientifiques avaient observés, à la surface de la plate-forme Larsen-B, avant sa disparition soudaine dans la péninsule Antarctique. Ainsi, les scientifiques pensent maintenant que l'eau de fonte s'infiltre dans la glace, creusant des crevasses et des tunnels qu'on appelle des « moulins ». Ces perforations rendent la glace moins stable et pourraient la faire glisser dans l'océan. Il y a toujours eu des fontes saisonnières au Groenland, et des moulins se sont formés dans le passé. Cependant, ces dernières années, la fonte s'est accélérée et elle se produit désormais en toutes saisons.

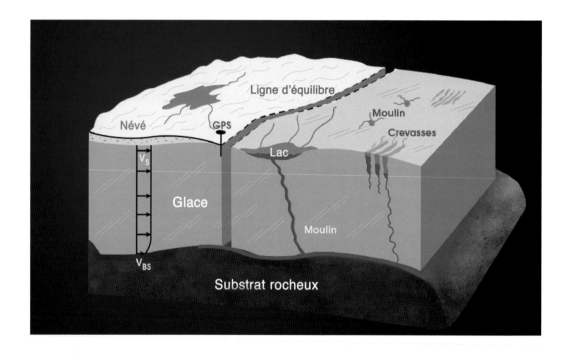

Torrent d'eau de fonte s'écoulant de la plate-forme arctique,
Groenland, 2005.

Chapitre Huit

UN NOUVEL ATLAS MONDIAL ?

LES ÎLES DU PACIFIQUE POURRAIENT BIENTÔT SE RETROUVER SOUS LES EAUX.

Marée haute à Funafuti, Tuvalu, Polynésie.

Si le dôme de glace du Groenland ou la plate-forme antarctique occidentale fondait ou tombait dans l'océan, le niveau des mers du monde
entier monterait d'environ 6 mètres.

Une hausse du niveau des mers signifierait que des millions de personnes
devraient évacuer leurs maisons. Cela s'est déjà produit pour des habitants
des îles du Pacifique. Il faudrait redessiner les cartes du monde.

VOICI CE QUI ARRIVERAIT EN FLORIDE. MIAMI SERAIT SUBMERGÉ.

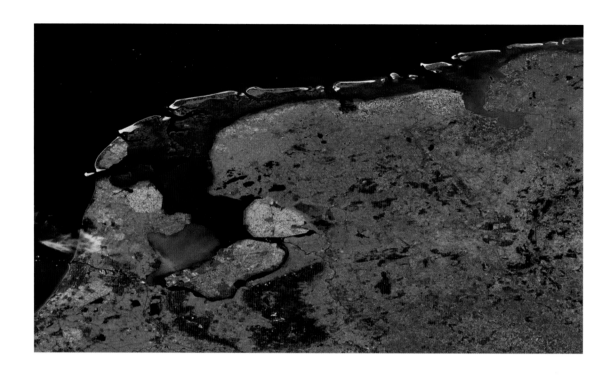

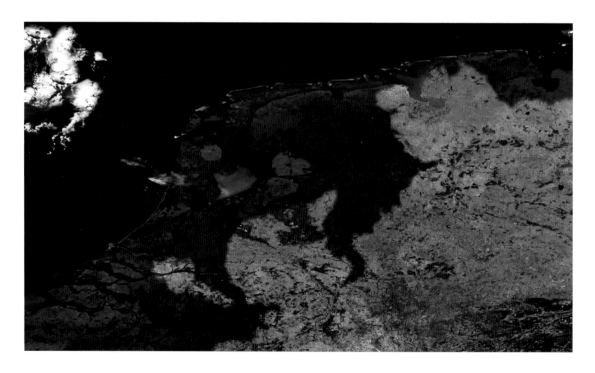

Maisons flottantes, Amsterdam, Pays-Bas, 2000.

VOICI CE QUI ARRIVERAIT AUX PAYS-BAS : AMSTERDAM DISPARAÎTRAIT.

Les Néerlandais ont toujours trouvé des solutions pour limiter les inondations. Le tiers de leur territoire actuel est en effet situé *sous* le niveau de la mer. Il y a quelques années, un concours d'architecture a eu pour thème de dessiner des maisons flottantes.

AU BANGLADESH ET À CALCUTTA, 60 MILLIONS DE PERSONNES SERAIENT DÉPLACÉES. C'EST À PEU PRÈS AUTANT QUE TOUTE LA POPULATION DE LA FRANCE MÉTROPOLITAINE.

Delta du Gange

Manhattan, à New York, est une île. À son extrémité sud, là où s'élevait le World Trade Center, de nouveaux gratte-ciel doivent être
construits, ainsi qu'un musée et un mémorial aux victimes du 11 septembre 2001.

SI LE NIVEAU DES MERS S'ÉLEVAIT DE 6 MÈTRES, LE SITE DU MÉMORIAL DU WORLD TRADE CENTER DISPARAÎTRAIT SOUS LES EAUX.

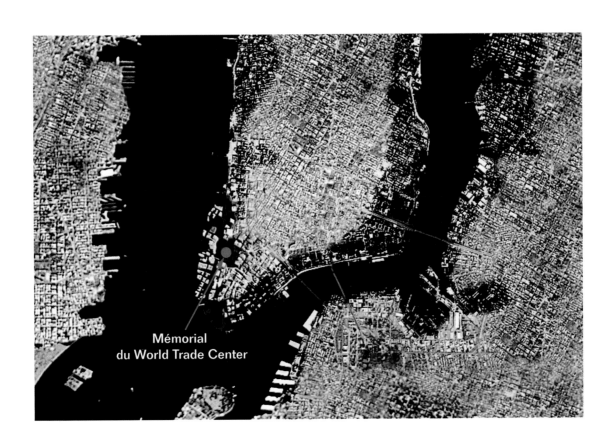

Mémorial
du World Trade Center

Chapitre Neuf

PROBLÈMES EN EAU PROFONDE

LONDRES
PARIS
MADRID

MONTRÉAL
FARGO
NEW YORK

Selon certains scientifiques, on peut expliquer le climat mondial par l'image d'une pompe redistribuant la chaleur de l'équateur vers les pôles. La redistribution de chaleur donne leur orientation aux vents et aux courants océaniques.

Les différents courants d'eau océanique chaude et froide participent tous à une immense boucle planétaire qu'on appelle « le grand tapis roulant océanique ». Les parties de cette boucle ici en rouge représentent les courants de surface chauds, dont le plus connu est le Gulf Stream. Les parties en bleu représentent les courants froids et profonds, qui suivent des directions opposées.

Certains scientifiques pensent que le réchauffement du climat pourrait perturber ce tapis roulant. Cela aurait des conséquences désastreuses pour le climat mondial. Si le tapis roulant s'arrêtait, certaines régions deviendraient trop froides, et d'autres trop chaudes.

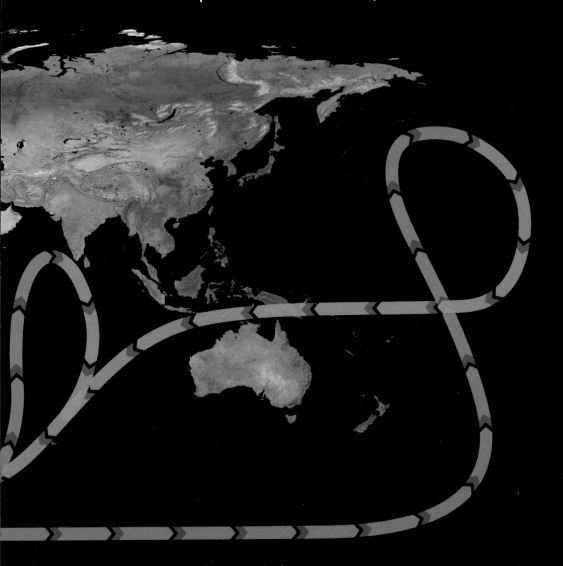

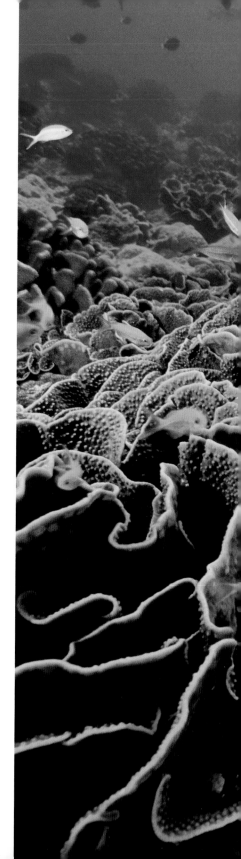

Les récifs de coraux, qui sont aussi importants pour les espèces océaniques que les forêts tropicales pour les espèces terrestres, sont massivement détruits par le réchauffement du climat.

De nombreux facteurs contribuent à la mort des coraux : la pollution venant du rivage, la pêche à la dynamite et l'acidité croissante des eaux marines. Cependant, la cause la plus grave de la détérioration récente, rapide et sans précédent des récifs coralliens est, selon les scientifiques, la hausse de la température des océans, conséquence du réchauffement climatique.

LES CORAUX SONT UNE DES MERVEILLES DE LA NATURE. NOUS DEVONS LES PRÉSERVER.

Corail, îles Phoenix, Kiribati, Polynésie, 2004.

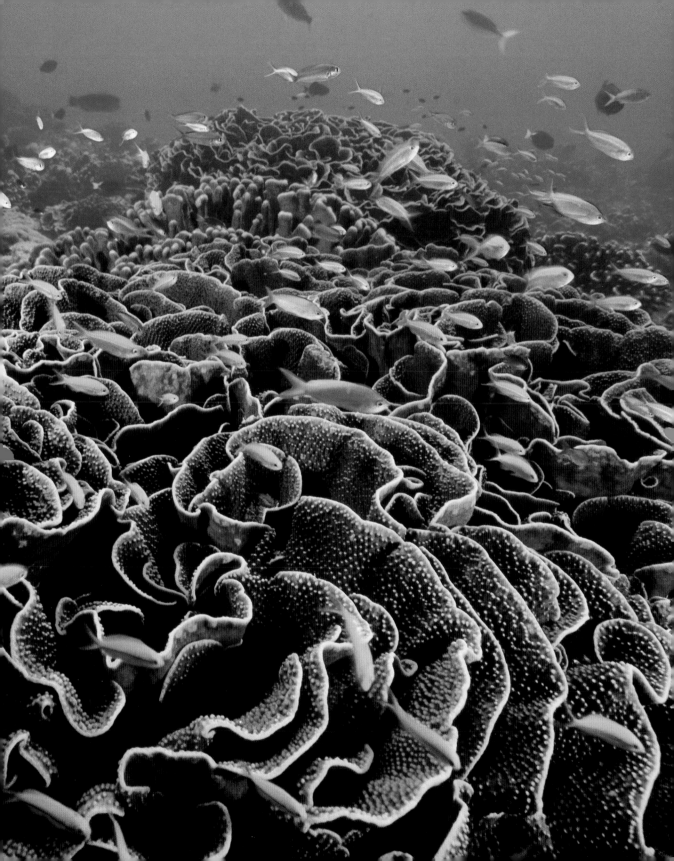

La zooxanthelle est une algue qui vit dans les coraux. Elle n'est pas seulement responsable de leur magnifique couleur : elle les nourrit également. Mais, lorsque l'eau des océans devient plus chaude, les coraux expulsent les zooxanthelles. Une fois qu'elles sont parties, le corail perd sa couleur et sa vitalité. Il devient blanc et gris comme sur la photo. Cette décoloration est le signal de sa mort prochaine.

En 1998, deuxième année record pour la chaleur enregistrée, on estime que le monde a perdu 16 % de ses récifs coralliens.

Les coraux blanchissent à cause de l'augmentation de la température de l'eau de mer

Corail blanchi, récif Rongelap, îles Marshall, 2004.

Chapitre Dix

DANGEREUX POUR LA SANTÉ

Nous sommes en train de modifier de plusieurs manières l'équilibre chimique des océans. Cela aboutit à l'apparition de zones mortes, dans lesquelles l'eau ne renferme plus assez d'oxygène pour que s'épanouissent de nombreuses formes de vie. Ces zones meurent car des algues, qui sont parfois toxiques, prolifèrent dans les eaux chaudes. Leur propagation est favorisée par la pollution, due aux activités humaines.

Nombre de ces algues ont poussé de façon spectaculaire et sans précédent en de nombreux endroits. Dans la mer Baltique, par exemple, plusieurs sites balnéaires ont dû être fermés durant l'été 2005. La marée rouge de Floride constitue un fait similaire.

Prolifération d'algues en mer Baltique, Gotland, Suède, 2005.

EN MÊME TEMPS QUE LE CLIMAT SE RÉCHAUFFE, DES ESPÈCES VIVANTES, VECTEURS DE MALADIES, SE DÉPLACENT VERS DE NOUVELLES RÉGIONS.

En général, le monde des microbes et des virus est moins menaçant pour les êtres humains là où les nuits et les hivers sont plus froids, et lorsque le climat est stable. Un temps froid tient les microbes en échec. Le réchauffement du climat, à l'inverse, accroît notre vulnérabilité aux maladies.

ESPÈCES VIVANTES PORTEUSES DE MALADIES INFECTIEUSES.

Algues

Moustiques

Mouches tsé-tsé

Poux

Rongeurs

Tiques

Chauves-souris

Puces

Escargots

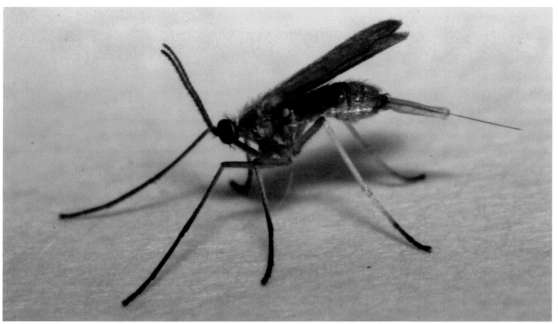

Moustique.

Mouche tsé-tsé.

Les moustiques propagent de nombreuses maladies, comme la malaria (paludisme), l'encéphalite, le virus du Nil occidental et la fièvre jaune. Ils se reproduisent et vivent sous des climats chauds. Le réchauffement du climat leur permet de s'installer dans des zones qu'ils n'avaient jamais pu atteindre. Par exemple, en Afrique, Nairobi (la capitale du Kenya) et Harare (la capitale du Zimbabwe) étaient à l'abri des moustiques, car ces deux villes se trouvaient dans des zones trop froides pour ces insectes.

Le graphique montre comment les moustiques ont envahi les zones plus élevées.

AUJOURD'HUI
Le réchauffement permet aux moustiques, donc aux maladies, de migrer à des altitudes plus élevées

AVANT 1970
Les températures froides provoquaient un gel à de hautes altitudes et limitaient la propagation des moustiques et des maladies dont ils étaient porteurs à des altitudes basses.

LES MOUSTIQUES VIVENT À DES ALTITUDES PLUS ÉLEVÉES.

Le virus du Nil occidental n'avait jamais touché les États-Unis avant 1999. À partir de cette date et en deux ans seulement, il a franchi le Mississippi, progressant vers le centre du pays jusqu'à arriver sur la côte Ouest dès 2003. Ce n'est pas une maladie grave – seuls de rares cas mortels ont été enregistrés. Les scientifiques pensent que la chaleur inhabituelle et les fortes pluies des années 1999 à 2003 ont favorisé la rapide propagation du moustique qui transmet le virus.

PROPAGATION DU VIRUS DU NIL OCCIDENTAL AUX ÉTATS-UNIS

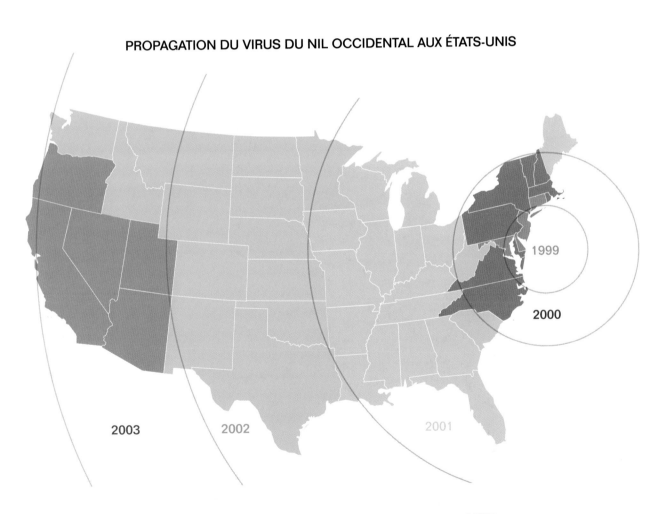

Sources : Établi à partir de CDC, Health Canada, USGS et sources ProMED-mail au 14 mai 2003

Chapitre Onze

DÉSÉQUILIBRE

Le réchauffement du climat désorganise le rythme ancestral des saisons. Dans certains endroits, la durée du jour et la température ne sont plus synchronisées : le jour est court parce qu'on se trouve en hiver… et pourtant la température est si haute qu'on se croirait au printemps. À cause de dérèglements du climat de cette sorte, beaucoup d'espèces vivantes, partout dans le monde, doivent affronter de nouveaux défis. Le gobe-mouches noir est un exemple. Une étude réalisée aux Pays-Bas explique ce qui se passe.

Les gobe-mouches noirs sont des oiseaux migrateurs. Il y a vingt-cinq ans, leur pic d'arrivée aux Pays-Bas se situait autour du 25 avril. Les petits naissaient environ six semaines plus tard, vers le 3 juin. C'était aussi la saison des chenilles dont se nourrissent les oiseaux : la concordance était parfaite ! Mais, maintenant, le calendrier est déréglé. Les oiseaux continuent d'arriver fin avril. Cependant, après deux décennies de réchauffement du climat, les chenilles connaissent leur pleine saison deux semaines plus tôt, autour du 15 mai. Le pic d'éclosion des oisillons s'est lui aussi un peu déplacé, vers le 25 mai, mais pas assez pour coïncider avec le maximum des chenilles. Et il est alors beaucoup plus difficile pour les oiseaux de nourrir leurs petits.

Oiseau nourrissant ses petits, Pays-Bas.

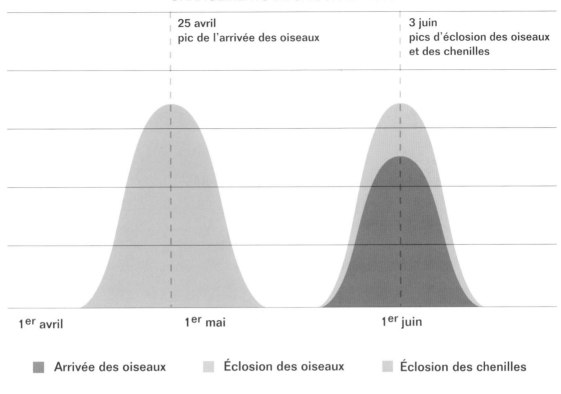

CHANGEMENTS DE SAISON EN 1980

25 avril
pic de l'arrivée des oiseaux

3 juin
pics d'éclosion des oiseaux
et des chenilles

1er avril   1er mai   1er juin

■ Arrivée des oiseaux   ■ Éclosion des oiseaux   ■ Éclosion des chenilles

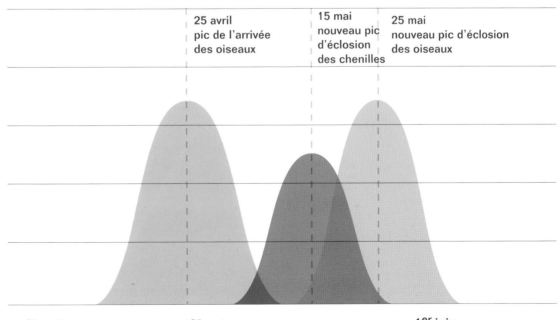

CHANGEMENTS DE SAISON EN 2000

25 avril
pic de l'arrivée
des oiseaux

15 mai
nouveau pic
d'éclosion
des chenilles

25 mai
nouveau pic d'éclosion
des oiseaux

1er avril   1er mai   1er juin

VOICI UN AUTRE EXEMPLE DE LA FAÇON DONT LE RÉCHAUFFEMENT DU CLIMAT DÉRÈGLE L'ÉQUILIBRE NATUREL.

Dans l'ouest de l'Amérique, les hivers froids permettaient de ralentir la propagation du dendroctone du pin, un insecte qui fore les arbres pour y déposer ses œufs, ce qui peut conduire à leur mort. Désormais, le gel est moins fort et le dendroctone prolifère. La photo à droite montre ses ravages.

Ravages dus au dendroctone du pin, Plains, Montana, États-Unis, 1989.

Centrolène dorée

Mirza de Coquerel

Oie rieuse

Baleine boréale

Albatros à tête grise

Manchot empereur

Crapaud doré

Gorfou macaroni

Rainette verte

Cormoran aptère

Otarie de Kerguelen

Grue caronculée

Manchot antipode

Ours polaire

Bernache à cou roux

Léopard de mer

De nombreuses espèces vivantes dans le monde sont aujourd'hui menacées d'extinction, en partie à cause de la crise du climat, en partie à cause de la façon dont les humains maltraitent les zones où vivent ces espèces.

En réalité, les deux raisons sont liées. Par exemple, abattre des arbres dans la forêt amazonienne (ce dont sont responsables certains humains) détruit des habitats naturels et conduit des espèces vivantes vers l'extinction. En même temps, brûler ces arbres rejette du CO_2 dans l'atmosphère, ce qui augmente encore les menaces qui pèsent sur ces espèces.

C'EST UNE SPIRALE QUI CONDUIT À LA DESTRUCTION.

Chapitre Douze

COURSE VERS L'ABÎME

Nous assistons à un choc massif, sans précédent, entre notre civilisation et la Terre. Nous faisons de la planète une poubelle.

Comment en sommes-nous arrivés là ?
L'une des raisons fondamentales est que nous sommes de plus en plus nombreux sur Terre.

RÉDUIRE NOS DÉCHETS EST UNE NÉCESSITÉ ABSOLUE POUR PRÉSERVER NOTRE ENVIRONNEMENT.

Décharge publique, Mexico, Mexique, 1996.

LA POPULATION MONDIALE A EXPLOSÉ.

Lorsque la génération du baby- boom, à laquelle j'appartiens, est apparue après la Seconde Guerre mondiale, l'humanité dépassait déjà les 2 milliards d'individus. Depuis, je l'ai vue s'élever à 6,5 milliards. Et vers 2050, elle dépassera les 9 milliards.

À maints égards, c'est une réussite. Les taux de mortalité sont en diminution partout dans le monde, pendant que les taux de natalité baissent aussi, surtout dans les pays les plus développés. (Les familles comptent de moins en moins d'enfants, ce qui ralentit la croissance démographique.) Malgré tout, la population mondiale a quadruplé en moins d'un siècle. Notre impact sur la Terre est donc plus grand.
Nous avons donc le devoir de prendre conscience de ce bouleversement et de redéfinir la relation entre notre espèce et la planète.

CROISSANCE DE LA POPULATION MONDIALE À TRAVERS L'HISTOIRE

Premiers humains modernes

− 160 000 ans   − 100 000 ans   − 10 000 ans   − 7 000 ans   − 6 000 ans   − 5 000 ans   − 4 000 ans

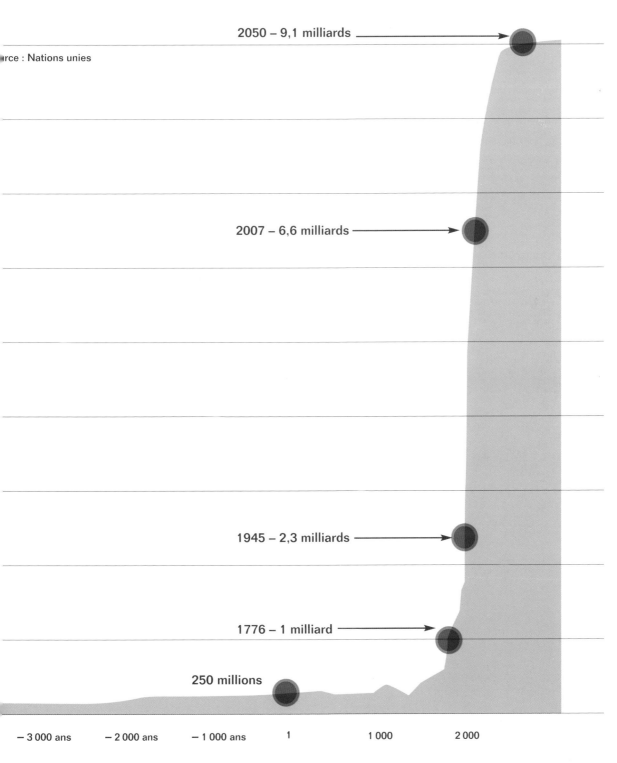

2050 – 9,1 milliards

rce : Nations unies

2007 – 6,6 milliards

Milliards d'individus

1945 – 2,3 milliards

1776 – 1 milliard

250 millions

− 3 000 ans   − 2 000 ans   − 1 000 ans   1   1 000   2 000

La moitié de la population mondiale vit désormais en ville.

Quartier de Shinjuku, Tokyo, Japon, 1996.

La population de l'agglomération de Tokyo, la plus importante du monde, dépasse 35 millions d'habitants.

Abattage, forêt nationale de Tapajos, Brésil, 2004.

L'augmentation rapide de la population mondiale a un effet multiplicateur sur la demande d'eau, de nourriture, d'énergie et d'autres ressources naturelles. Pour fournir par exemple du bois aux habitants des villes (afin de construire leur habitat) ou créer de vastes champs à cultiver (pour les nourrir), de vastes zones de forêt sont abattues.

À droite, une forêt du nord-ouest des États-Unis, après une coupe à blanc, ce qui signifie l'abattage total des arbres et arbustes d'une zone donnée.

Souches et branches après une coupe à blanc, près de Forks, État de Washington, États-Unis, 1999.

Il n'y a peut-être pas d'endroit au monde plus menacé que la forêt équatoriale d'Amazonie. Elle couvre une surface immense : 2,5 millions de kilomètres carrés. Mais une grande partie est coupée et détruite.

POURQUOI ?

Certains arbres ont une valeur commerciale et sont abattus pour l'ébénisterie et la menuiserie, mais, pour les atteindre, il faut abattre les arbres sans valeur qui gênent la progression des engins.

Ces arbres « inutiles » sont brûlés. D'autre part, des paysans pauvres pratiquent la culture sur abattis-brûlis : ils abattent les arbres pour mener leurs cultures sur le terrain dégagé et brûlé. Enfin, on abat du bois pour cuire les aliments.

Ainsi, presque 30 % des émissions de CO_2 dans l'atmosphère proviennent des feux de bois. Ce qui se produit à un niveau local a des conséquences mondiales.

Ouvrier agricole défrichant du terrain pour l'agriculture, État de Rondônia, Brésil, 1988.

HAÏTI

Haïti et la République dominicaine se partagent la même île des Antilles. Le gouvernement d'Haïti n'a cependant rien fait pour sauvegarder l'environnement et 98 % de ses forêts ont disparu.
La République dominicaine mène une politique différente : elle protège ses forêts. Vous pouvez constater le résultat sur cette photo, prise à la frontière des deux pays.

RÉPUBLIQUE DOMINICAINE

Chapitre Treize

EFFETS SECONDAIRES
DES TECHNOLOGIES

La technologie a amélioré la
vie des êtres humains dans
de nombreux domaines. Il y a
cent cinquante ans, avant l'in-
vention de la lumière électrique,
la nuit, l'obscurité était totale.

Source : Nasa

Image composée à partir de vues satellites de la Terre, la nuit, 1994-1995.

Mais le pouvoir technologique n'a pas toujours été utilisé avec sagesse. L'irrigation a longtemps fait des merveilles pour l'humanité. Cependant, nous sommes aujourd'hui capables de détourner d'importants cours d'eau, pour servir nos projets et sans tenir compte de la nature. Cela pose un grave problème.

Dans l'ex-Union soviétique, en Asie centrale, deux grands fleuves qui alimentaient la mer d'Aral ont ainsi été détournés pour irriguer des champs de coton.
Quand je me suis rendu sur place, il y a quelques années, j'ai découvert un étrange spectacle : une énorme flotte de bateaux de pêche abandonnés sur le sable, sans une goutte d'eau à l'horizon.

LA MER D'ARAL A PRESQUE ENTIÈREMENT DISPARU.

Bateaux de pêche échoués, mer d'Aral, Kazakhstan, 1990.

De nombreuses activités humaines
s'effectuent aujourd'hui au moyen
d'outils très puissants, qui entraînent
des conséquences dramatiques.
Ici, une mine de cuivre à ciel ouvert
a ravagé la terre.

Mine de cuivre à ciel ouvert,
Cannea, Mexique, 1993.

Les technologies nouvelles, comme les bombes nucléaires, ont dramatiquement modifié les conséquences des guerres sur la nature comme sur les hommes.

Soldats allemands durant la Première Guerre mondiale, 1914.

Essai nucléaire, Nevada, États-Unis, 1997

C'est d'abord aux pays les mieux dotés sur le plan des technologies qu'incombe le devoir de faire un usage raisonnable et responsable du progrès technique. Or, le pays le plus réputé pour ses capacités technologiques est peut-être le principal responsable du réchauffement du climat : ce sont les États-Unis.

Ce pays émet plus de gaz à effet de serre que l'Amérique latine, l'Afrique, le Moyen-Orient, l'Asie et l'Australie réunis.

Sur ce schéma, les pays et les continents ont une taille qui correspond au pourcentage de gaz à effet de serre qu'ils émettent. L'Australie, qui n'est pas beaucoup moins étendue que les États-Unis, est ici minuscule parce qu'elle ne produit que 1,1 % des gaz à effet de serre.

Nous devons changer !

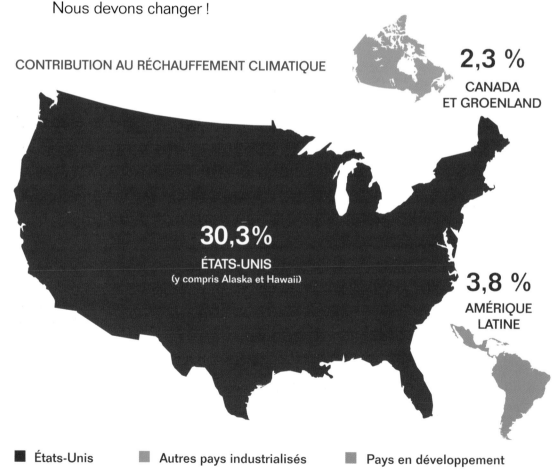

CONTRIBUTION AU RÉCHAUFFEMENT CLIMATIQUE

2,3 %
CANADA
ET GROENLAND

30,3%
ÉTATS-UNIS
(y compris Alaska et Hawaii)

3,8 %
AMÉRIQUE
LATINE

■ États-Unis   ■ Autres pays industrialisés   ■ Pays en développement

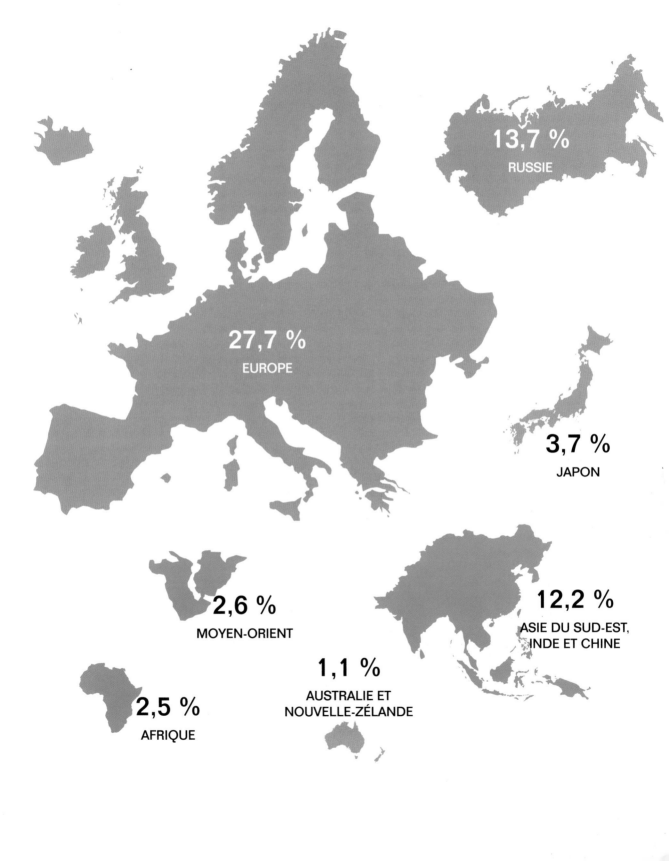

Chapitre Quatorze

NE NIONS PAS L'ÉVIDENCE

Certains ne veulent pas admettre que nous vivons une crise au niveau du climat. D'autres accordent leur confiance aux informations fausses et trompeuses de groupes politiques qui veulent nous faire croire qu'il n'y a pas de problème.

Je pense à un autre exemple : les cigarettes. Dans les années 1960, des recherches scientifiques prouvaient que fumer était gravement nuisible pour la santé et causait des maladies cardio-vasculaires et des cancers. L'industrie du tabac répondit par une campagne de désinformation pour tromper le public et le faire douter de faits authentiques.

Désormais, sur les paquets de cigarettes, la loi impose des mentions comme « Fumer provoque des cancers du poumon, des maladies cardio-vasculaires, de l'emphysème, et peut rendre les grossesses difficiles. »

Publicité du début des années 1960 vantant la cigarette.

Every doctor in private practice was asked:
—family physicians, surgeons, specialists...
doctors in every branch of medicine—
"What cigarette do you smoke?"

According to a recent Nationwide survey:

More Doctors
Smoke Camels

than any other cigarette!

Not a guess, not just a trend ... but an *actual fact* based on
the statements of doctors themselves to 3 nationally
known independent research organizations.

THE "T-ZONE" TEST WILL TELL YOU

The "T-Zone"—T for taste and T for throat—is your own laboratory, your proving ground, for any cigarette. For only your taste and your throat can decide which cigarette tastes best to *you* ... and how it affects your throat. On the basis of the experience of many, many millions of smokers, we believe Camels will suit your "T-Zone" to a "T."

CAMEL
TURKISH & DOMESTIC BLEND CIGARETTES
CHOICE QUALITY

R. J. Reynolds Tobacco Co.
Winston-Salem, N. C.

Yes, your doctor was asked ... along with thousands and thousands of other doctors from Maine to California.

And they've named their choice—the brand that more doctors named as their smoke is *Camel!* Three nationally known independent research organizations found this to be a fact.

Nothing unusual about it. Doctors smoke for pleasure just like the rest of us. They appreciate, just as you, a mildness that's cool and easy on the throat. They too enjoy the full, rich flavor of expertly blended costlier tobaccos. Next time, try Camels.

LES SCIENTIFIQUES SONT PRESQUE TOUS D'ACCORD SUR LES CAUSES DU RÉCHAUFFEMENT CLIMATIQUE.

L'université de Californie a recensé toutes les études d'experts concernant le réchauffement durant les dix dernières années. Résultat : aucun scientifique n'est en désaccord avec l'opinion générale de ses collègues.

NOMBRE D'ARTICLES EXAMINÉS, PUBLIÉS DURANT LES DIX DERNIÈRES ANNÉES DANS DES JOURNAUX SCIENTIFIQUES SUR LE THÈME DU « CHANGEMENT DU CLIMAT »

928

Pourcentage d'articles doutant des causes du réchauffement du climat

0%

Cependant, certaines compagnies, qui refusent de contrôler leurs rejets polluants dans l'atmosphère, font pression sur le gouvernement des États-Unis pour qu'il les laisse agir comme elles l'entendent. Pour défendre leurs intérêts particuliers, ces groupes organisent des campagnes pour jeter le doute sur ce qui est pourtant une évidence.

Dans leurs articles sur le réchauffement du climat, les grands médias rendent souvent compte des deux aspects de la question, et donnent un poids égal à chaque partie, les groupes privés comme les experts. Cela donne l'impression qu'il y a encore besoin de débattre sur des faits pourtant prouvés. Ce n'est donc pas étonnant si les gens ne savent plus quoi penser.

Articles publiés dans la presse populaire sur le réchauffement du climat durant les quatorze dernières années

3543

Pourcentage d'articles mettant en question les causes du réchauffement du climat

53%

De puissantes entreprises gagnent de l'argent grâce à des activités qui aggravent le réchauffement du climat. Ces firmes cherchent à censurer les recherches scientifiques et à masquer la vérité sur la crise que nous affrontons. Lorsque ces entreprises sont liées à des hommes politiques, elles font nommer des hommes et des femmes à des postes de décision (y compris au gouvernement) qui nient la cause du réchauffement du climat.

Début 2001, le président Bush nomma Philip Cooney pour conduire la politique environnementale de la Maison Blanche. Pendant les six années qui avaient précédé, Cooney avait travaillé à l'American Petroleum Institute, il était le principal responsable de la campagne menée par les firmes pétrolières et minières pour tromper les citoyens sur cette question. En dépit du fait que Cooney n'avait absolument aucune formation scientifique, le Président lui donna le pouvoir d'éditer et de censurer les déclarations officielles sur le réchauffement climatique émanant de l'EPA (Agence de protection de l'environnement) et autres agences gouvernementales. En 2005, une note de la Maison Blanche rédigée sous l'autorité de Cooney (dont une partie est citée ci-dessous) fit l'objet d'une fuite dans le grand quotidien *The New York Times*. Cooney avait soigneusement expurgé le texte de toute mention des dangers que pose le réchauffement du climat. Cette révélation par la presse causa quelque embarras à la Maison Blanche et Cooney finit par démissionner. Le lendemain, il fut engagé par Exxon Mobil.

Parler ici, au lieu d'une stratégie de recherche, de découvertes

~~*Le réchauffement provoquera aussi la réduction des glaciers de montagne et l'accélération de la fonte des neiges dans les régions polaires. Les taux de débit vont se modifier et les inondations potentielles se voir modifiées d'une façon qui n'est pas encore bien comprise. Il y aura un changement significatif du rythme saisonnier du débit, qui aura un impact sérieux sur les populations indigènes dépendant de la pêche et de la chasse pour leur survie. Ces changements seront encore compliqués par des modifications des régimes de précipitation et par une possible intensification et une fréquence accrue des événements hydrologiques.*~~ *Réduire les incertitudes qui existent aujourd'hui dans la compréhension des relations entre les dégâts climatiques et l'hydrologie arctique est essentiel.*

Philip Cooney

1995-20 janvier 2001
Responsable de la désinformation sur le réchauffement du climat
pour le compte de l'American Petroleum Institute

20 janvier 2001
Nommé chef du Bureau pour l'environnement à la Maison Blanche

14 juin 2005
Quitte la Maison Blanche pour le major pétrolier Exxon Mobil

D'autres pays prennent des mesures pour réduire l'émission de gaz nocifs dans l'atmosphère. L'une des possibilités est de fixer des normes de consommation de carburant pour les automobiles. Au Japon (ligne bleue), la loi contraint les voitures à consommer moins de 10 litres aux 100 kilomètres. En 2012, l'Union européenne prévoit de faire mieux que le Japon avec une réglementation imposant 8,5 litres aux 100 kilomètres. En Chine, la norme est de 13 litres environ. Les Canadiens et les Australiens se dirigent eux aussi vers des normes plus contraignantes. L'État de Californie a ses propres normes, mais les États-Unis sont les bons derniers.

Ce graphique montre que, dans les années passées et à venir, la plupart des pays (à part les États-Unis) ont pris ou vont prendre des mesures pour que les véhicules neufs soient plus économiques en carburant. Les courbes montrent que le nombre de kilomètres parcourus avec 1 litre de carburant augmente, parfois de façon importante.

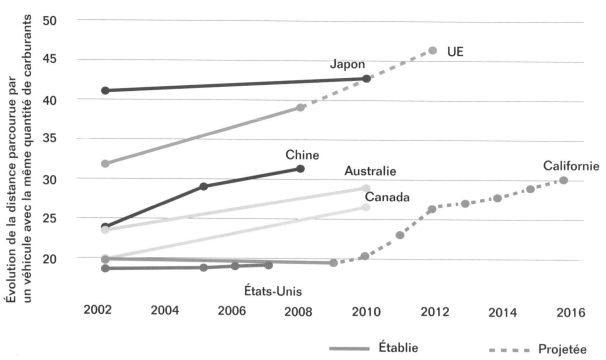

ÉCONOMIES DE CARBURANTS ET NORMES D'ÉMISSION DE GAZ À EFFET DE SERRE

Accorder de l'importance à l'environnement ne signifie pas renoncer aux profits économiques. Des compagnies automobiles prospères fabriquent des voitures à faible consommation de carburant. Le graphique ci-dessous le montre clairement. Ce sont les entreprises japonaises (Toyota, Honda), qui produisent les voitures les plus propres, qui s'en sortent le mieux économiquement. Les firmes américaines comme Ford ou General Motors sont dans une situation difficile et négative (baisse de leur cotation à la Bourse).

Quand la Californie a pris l'initiative de fixer des normes de consommation de carburant, comment ont réagi ces firmes ? Elles ont intenté un procès à l'État de Californie...

ÉVOLUTION DE LA VALEUR EN BOURSE : FÉVRIER-NOVEMBRE 2005

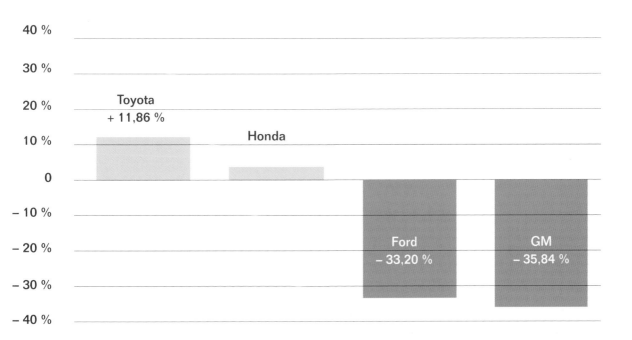

Chapitre Quinze

CRISE = CHANCE

Face au réchauffement du climat, un nombre étonnant de personnes passent directement de la négation du problème au désespoir, sans jamais se dire : « Oui, il y a bien une crise… mais nous pouvons faire quelque chose. »

Oui, c'est une crise majeure, mais il y a encore de l'espoir. Savez-vous d'ailleurs qu'en chinois le mot « crise » se compose de deux caractères ? Le premier signifie « danger ». Mais le second veut dire «possibilité».

危机

Heureusement, de plus en plus d'entreprises évoluent dans la bonne direction. Nous développons tous les jours de nouvelles technologies qui nous aident à combattre le réchauffement du climat.

PANNEAUX SOLAIRES
Par beau temps, le Soleil fournit environ 1000 watts d'énergie par mètre carré. Des panneaux solaires peuvent recueillir cette énergie et la transformer en électricité pour la maison et les bureaux.

CENTRALES ÉLECTRIQUES GÉOTHERMIQUES
La chaleur stockée dans la Terre peut produire de l'électricité. Des centrales géothermiques transforment cette chaleur en électricité. On peut en construire partout où l'on trouve des eaux souterraines chaudes.

Panneaux solaires.

Centrales électriques géothermiques.

Ampoules à fluorescence.

Toit de verdure.

AMPOULES À FLUORESCENCE

Une ampoule « normale » (à incandescence) produit de la lumière et aussi beaucoup de chaleur, ce qui cause une perte d'énergie. Une ampoule à fluorescence utilise une méthode plus efficace pour produire de la lumière. Vous pouvez acheter une ampoule à fluorescence de 15 watts qui produit la même lumière qu'une ampoule à incandescence de 60 watts.

TOITS DE VERDURE

Les toits de verdure sont spécialement conçus pour permettre le développement des plantes. Cela permet de fournir de la nourriture, de réduire la chaleur dans les zones fortement peuplées des villes et d'isoler les immeubles. En plus, c'est beau !

VOITURES HYBRIDES

Les voitures hybrides ne dépendent pas que du carburant pour avancer. Elles utilisent aussi des batteries. Elles sont un bon exemple d'économie de carburant. Quand on démarre le moteur, c'est l'essence qui fait avancer la voiture. mais ensuite ce sont des batteries électriques (qui se rechargent en roulant) qui prennent le relais. La Toyota Prius est un exemple d'un de ces véhicules hybrides.

BUS ÉLECTRIQUES ALIMENTÉS À L'HYDROGÈNE

Des autobus hybrides offrent une meilleure solution environnementale pour les transports en commun. Ces autobus utilisent l'hydrogène et l'oxygène pour produire l'électricité qui fait tourner le moteur. Le seul élément rejeté par ce système est de la vapeur d'eau. Pour qu'il fonctionne, il faut remplir un réservoir spécial avec de l'hydrogène. Certaines villes d'Australie, de Californie et d'Europe ont mené des essais concluants avec ces véhicules.

Voitures hybrides.

Bus électriques alimentés à l'hydrogène.

ÉNERGIE ÉOLIENNE

Sans l'énergie du vent, les pionniers des XVIIIe − XIXe siècles n'auraient jamais pu coloniser les Grandes Plaines du centre des États-Unis. Car ce sont les éoliennes qui, durant des générations, ont inlassablement pompé l'eau du sous-sol pour que l'on puisse boire, se laver et abreuver le bétail.

Aujourd'hui, des entreprises publiques investissent dans de gigantesques champs d'éoliennes. Un parc de 100 mégawatts (environ 300 éoliennes équipées d'énormes turbines électriques) peut fournir de l'électricité à 24 000 maisons, cela durant des décennies. Il faudrait brûler 50 000 tonnes de pétrole chaque année pour fournir la même quantité d'électricité – ce qui entraînerait le rejet de très importantes quantités de CO_2 dans l'atmosphère.

Parc d'éoliennes off-shore de Middelgrunden, Copenhague, Danemark, 2001.

De nombreux pays ont commencé à agir. Voici la liste de ceux qui ont ratifié le protocole de Kyoto, un traité qui fixe des objectifs pour limiter l'émission de gaz à effet de serre. Seules deux nations ne l'ont pas ratifié : l'Australie et les États-Unis.

RATIFIÉ PAR :

Afrique du Sud
Albanie
Algérie
Allemagne
Antigua
Arabie Saoudite
Argentine
Arménie
Autriche
Azerbaïdjan
Bahamas
Bahreïn
Bangladesh
Barbade
Belarus
Belgique
Bénin
Bhoutan
Bolivie
Botswana
Brésil
Bulgarie
Burkina

Burundi
Cambodge
Cameroun
Canada
Cap-Vert
Chili
Chine
Chypre
Colombie
Congo (république
  démocratique du)
Cook (îles)
Corée du Nord
Corée du Sud
Costa Rica
Cuba
Danemark
Djibouti
Dominicaine
  (République)
Égypte
Émirats arabes unis
Équateur
Érythrée

Espagne
Estonie
Éthiopie
Fidji
Finlande
France
Gambie
Géorgie
Ghana
Grèce
Grenade
Guatemala
Guinée
Guinée-Bissau
Guinée-Équatoriale
Guyana
Haïti
Honduras
Hongrie
Inde
Indonésie
Iran
Irlande
Islande

Israël
Italie
Jamaïque
Japon
Jordanie
Kenya
Kirghizistan
Kiribati
Koweït
Laos
Lesotho
Lettonie
Liberia
Liechtenstein
Lituanie
Luxembourg
Macédoine
Madagascar
Malaisie
Malawi
Maldives
Mali
Malte
Maroc
Marshall (îles)
Maurice
Mauritanie
Mexique
Micronésie
Moldavie
Monaco
Mongolie
Mozambique
Myanmar

Namibie
Népal
Nicaragua
Niger
Nigeria
Niué
Norvège
Nouvelle-Zélande
Oman
Ouganda
Ouzbékistan
Pakistan
Palau
Panama
Papouasie-
  Nouvelle-Guinée
Paraguay
Pays-Bas
Pérou
Philippines
Pologne
Portugal
Qatar
Roumanie
Royaume-Uni
Russie
Rwanda
Sainte-Lucie
Saint-Vincent-
  et-les-Grenadines
Salomon
Salvador
Samoa
Sénégal

Seychelles
Singapour
Slovaquie
Soudan
Sri Lanka
Suède
Suisse
Syrie
Tanzanie
Tchèque (République)
Thaïlande
Togo
Trinité-et-Tobago
Tunisie
Turkménistan
Tuvalu
Ukraine
Uruguay
Vanuatu
Venezuela
Viêt Nam
Yémen
Zambie

NON RATIFIÉ PAR :
Australie
États-Unis

De nombreuses villes américaines se sont engagées d'elles-mêmes à respecter le protocole de Kyoto et même parfois à aller au-delà de ses objectifs. En voici la liste.

ARKANSAS
Fayetteville
Little Rock
North Little Rock
CALIFORNIE
Albany
Aliso Viejo
Arcata
Berkeley
Burbank
Capitola
Chino
Cloverdale
Cotati
Del Mar
Dublin
Fremont
Hayward
Healdsburg
Hemet
Irving
Lakewood
Long Beach
Los Angeles
Monterey Park
Morgan Hill
Novato
Oakland
Palo Alto
Petaluma
Pleasanton
Richmond
Rohnert Park
Sacramento
San Bruno
San Francisco
San Luis Obispo
San Jose
San Leandro
San Mateo
Santa Barbara
Santa Cruz
Santa Monica
Santa Rosa
Sebastopol
Sonoma
Stockton
Sunnyvale
Thousand Oaks
Vallejo
West Hollywood
Windsor

CAROLINE DU NORD
Asheville
Chapel Hill
Durham
CAROLINE DU SUD
Charleston
Sumter
COLORADO
Aspen
Boulder
Denver
Telluride
CONNECTICUT
Bridgeport
Easton
Fairfield
Hamden
Hartford
Mansfield
Middletown
New Haven
Stamford
DELAWARE
Wilmington
FLORIDE
Gainesville
Hallandale Beach
Holly Hill
Hollywood
Key Biscayne
Key West
Lauderhill
Miami
Miramar
Pembroke Pines
Pompano Beach
Port St. Lucie
Sunrise
Tallahassee
Tamarac
West Palm Beach
GEORGIE
Athens
Atlanta
East Point
Macon
HAWAII
Hilo
Honolulu
Kauai
Maui
ILLINOIS
Carol Stream

Chicago
Highland Park
Schaumburg
Waukegan
INDIANA
Columbus
Fort Wayne
Gary
Michigan City
IOWA
Des Moines
KANSAS
Lawrence
Topeka
KENTUCKY
Lexington
Louisville
LOUISIANE
Alexandria
la Noubelle Orléans
MARYLAND
Annapolis
Baltimore
Chevy Chase
MASSACHUSETTS
Boston
Cambridge
Malden
Medford
Newton
Somerville
Worcester
MICHIGAN
Ann Arbor
Grand Rapids
Southfield
MINNESOTA
Apple Valley
Duluth
Eden Prairie
Minneapolis
St. Paul
MISSOURI
Clayton
Florissant
Kansas City
Maplewood
St. Louis
Sunset Hills
University City
MONTANA
Billings
Missoula

NEBRASKA
Bellevue
Lincoln
Omaha
NEVADA
Las Vegas
NEW HAMPSHIRE
Keene
Manchester
Nashua
NEW JERSEY
Bayonne
Bloomfield
Brick Township
Elizabeth
Hamilton
Hightstown
Hope
Hopewell
Kearny
Newark
Plainfield
Robbinsville
Westfield
NEW YORK
Albany
Buffalo
Hempstead
Ithaca
Mt. Vernon
New York City
Niagara Ffalls
Rochester
Rockville Centre
Schenectady
White Plains
NOUVEAU-MEXIQUE
Albuquerque
OHIO
Brooklyn
Dayton
Garfield Heights
Middletown
Toledo
OKLAHOMA
Norma North
OREGON
Corvallis
Eugene
Lake Oswego
Portland
PENNSYLVANIE
Eriée

Philadelphie
RHODE ISLAND
Pawtucket
Providence
Warwick
TEXAS
Arlington
Austin
Denton
Euless
Hurst
Laredo
McKinney
UTAH
Moab
Park City
Salt Lake City
VERMONT
Burlington
VIRGINIE
Alexandria
Charlottesville
Virginia Beach
WASHINGTON
Auburn
Bainbridge Island
Bellingham
Burien
Edmonds
Issaquah
Kirkland
Lacey
Lynnwood
Olympia
Redmond
Renton
Seattle
Tacoma
Vancouver
Washington D.C.
WISCONSIN
Ashland
Greenfield
La Crosse
Madison
Racine
Washburn
Wauwatosa
West Allis

Nous avons déjà réussi !

Dans les années 1980, on prétendait qu'il était impossible de résoudre le problème du trou dans la couche d'ozone de l'atmosphère, car il fallait, pour y remédier, une coopération de tous les pays du monde. Les États-Unis ont pris la tête du combat. Nous avons rédigé un traité, obtenu un accord mondial, et nous avons commencé à éliminer les produits chimiques responsables du problème, les CFC (chlorofluorocarbones). Nous avons agi, à l'époque. Nous devons faire de même aujourd'hui.

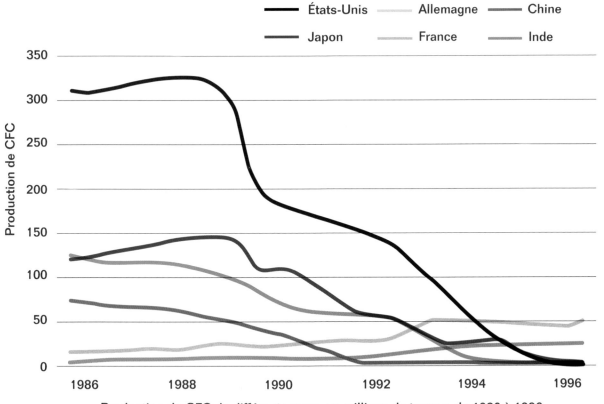

LA LUTTE VICTORIEUSE CONTRE LES CFC

Production de CFC de différents pays, en millions de tonnes, de 1986 à 1996

Image d'une « nurserie stellaire » (région de l'univers
où se forment les étoiles) prise par le télescope
Subaru, observatoire du Mauna Kea, Hawaii, 2001.

Le problème du réchauffement du climat est plus difficile à résoudre. Il requiert encore plus d'efforts de notre part.
La crise du climat nous met face à une vérité qui dérange. Nous allons devoir modifier notre mode de vie. Tout cela exigera des efforts et coûtera de l'argent.

À l'échelle individuelle, nous allons devoir utiliser d'autres ampoules électriques ou, à une dimension plus grande, remplacer le pétrole et le charbon par d'autres sources d'énergie. Mais ces changements nécessaires nous feront en réalité économiser de l'argent et nous rendront plus efficaces et plus productifs. Nous devons tous agir de façon que notre démocratie impose des lois de protection de notre planète.

NOUS NE POUVONS PAS NOUS PERMETTRE DE NE RIEN FAIRE.

Le XXIᵉ siècle vous appartient. Vous pouvez en faire une époque de renouveau en saisissant les chances qui surgissent de la crise. Vous pouvez préserver la santé de notre planète afin qu'elle reste magnifique pour les générations et les siècles à venir.

Cette image de l'univers a été prise depuis un vaisseau spatial, à plus de 6 milliards de kilomètres de notre système solaire. Le point bleu pâle, au centre de la bande lumineuse, c'est nous. Sur ce point minuscule s'est déroulée l'histoire de l'humanité. Tous les triomphes et toutes les tragédies. Toutes les guerres. Toutes les famines. Tous les grands progrès.

C'EST NOTRE SEULE DEMEURE.
NOUS DEVONS EN PRENDRE SOIN.

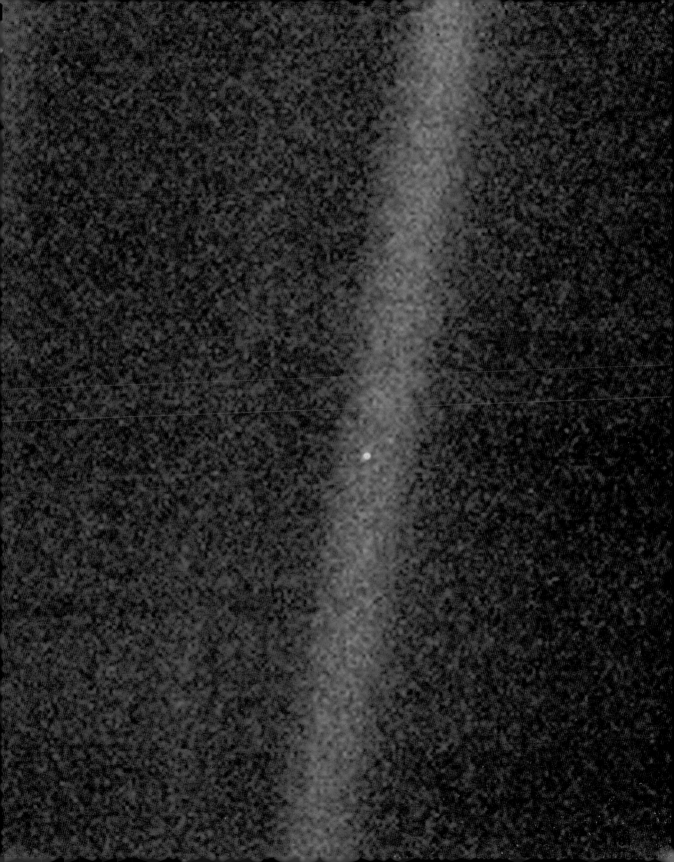

Agissons !

NOUS AVONS TOUT CE QU'IL NOUS FAUT POUR RÉSOUDRE LA CRISE DU CLIMAT.

Chacun de nous est responsable du réchauffement climatique. Chacun de nous peut participer à résoudre ce problème : par nos décisions d'achat, par la quantité d'électricité que nous utilisons, par la voiture que nous avons, par la façon dont nous vivons.

Nous pouvons faire des choix pour éviter de rejeter inutilement du carbone dans l'atmosphère.

VOICI QUELQUES EXEMPLES D'ACTIONS QUE VOUS POUVEZ ACCOMPLIR.

▶ Évitez la nourriture et les autres produits suremballés. Les couches de plastique des emballages sont inutiles. Ce n'est que du gaspillage. Par exemple, choisissez une bouteille d'eau réutilisable plutôt que des bouteilles jetables.

▶ Déplacez-vous en vélo ou à pied plutôt que d'utiliser à chaque fois la voiture.

▶ Quand vous êtes à la maison, n'oubliez pas d'éteindre les lumières. Et ne laissez pas la porte du réfrigérateur ouverte trop longtemps – l'ouvrir juste quelques secondes entraîne un gros gaspillage d'énergie.

▶ Dites à vos parents, vos professeurs et vos amis qu'eux aussi pourraient avoir un impact sur l'environnement. Expliquez-leur ce qu'ils peuvent faire pour aider à résoudre la crise.

Car nous pouvons, tous ensemble, résoudre la crise du réchauffement du climat.

REMERCIEMENTS

Mon épouse, Tipper, m'a incité à écrire ce livre il y a déjà plusieurs années. Elle pensait que l'intérêt du public pour les questions d'environnement avait considérablement progressé après la publication de mon livre *Sauver la planète Terre*, en 1992. Selon Tipper, un ouvrage d'un genre nouveau, mêlant analyse scientifique, graphiques et schémas, permettrait de mieux faire comprendre la crise que nous traversons à un large public. Et comme cela a très souvent été le cas au cours de nos trente-six années de mariage, elle avait évidemment raison ! Elle persista patiemment dans cette idée et je mis un certain temps à comprendre que je devais la suivre. Elle m'aida ensuite à chaque étape du processus pour faire de ce projet une réalité. Ainsi, sans Tipper, ce livre n'aurait jamais vu le jour.

Quand j'eus fini de rédiger le texte, à la fin de 2005, nous rassemblâmes ensemble les images et les graphiques dans l'ordre adéquat puis fîmes parvenir le tout à mon agent, Andrew Wylie, à New York, la veille de Noël, juste avant minuit. Et Andrew, comme d'habitude, plaça le manuscrit entre de bonnes mains afin qu'il devienne le livre que vous lisez aujourd'hui. J'ai vécu avec mon éditeur Rodale une expérience extraordinaire. Steve Murphy, son P-DG, a fait de ce projet une cause personnelle et a remué ciel et terre pour en faire quelque chose de magnifique, dans un temps record. Je voudrais remercier aussi la famille Rodale, dont l'engagement de toujours en faveur de l'environnement est une véritable source d'inspiration. Et j'ai profondément apprécié leur soutien.

J'éprouve une immense gratitude pour mon éditeur, Leigh Haber, pour le rôle qu'elle a joué dans la publication de ce livre, pour ses suggestions et sa créativité, et pour avoir fait de ce travail quelque chose de plaisant du début à la fin, alors même qu'il nous a fallu tous travailler d'arrache-pied pour respecter les délais. Merci également à tous ceux qui, chez Rodale, ont travaillé sur ce livre : Liz Perl et son équipe, Tami Booth Corwin, Caroline Dube, Mike Sudik et son équipe de fabrication, Andy Carpenter et son équipe dévouée, et enfin Chris Krogermeier et son staff.

Merci aussi à l'équipe de Penguin : Doug Whiteman, Regina Hayes, Catherine Frank, Janet Pascal, Jim Hoover et Kendra Levin. Un remerciement spécial à Jane O'Connor.

Je suis également reconnaissant à Leigh pour sa décision d'inviter Charlie Melcher et ses collègues de Melcher Media et MGMT Design à se joindre à l'équipe extraordinaire réunie par Rodale et que Leigh dirigea. Un merci tout particulier pour les nombreuses nuits de travail à Jessi Rymill, Alicia Cheng et Lisa Maione. Merci aussi à Bronwyn Barnes, Duncan Bock, Jessica Brackman, David Brown, Nick Carbonaro, Stephanie Church, Bonnie Eldon, Rachel Griffin, Eleanor Kung, Kyle Martin, Patrick Moos, Erik Ness, Abigail Pogrebin, Lia Ronnen, Hillary Rosner, Alex Tart, Shoshana Thaler et Matt Wolf. Charlie et son groupe ont su apporter une créativité et une éthique remarquables dans la conception et la fabrication de cet ouvrage complexe.

J'aimerais aussi remercier Mike Feldman et ses collègues du Glover Park Group pour leur aide. Le livre et le film sont deux projets distincts, mais l'équipe du film mérite des remerciements tout particuliers pour tout ce qu'elle a fait afin de permettre le succès du livre, alors même que le film était dans son ultime phase de préparation. Mes remerciements vont particulièrement à :
Lawrence Bender

Scott Z. Burns
Lesley Chilcott
Megan Coligan
Laurie David
Davis Guggenheim
Jonathan Lesher
Jeff Skoll.

Des remerciements très particuliers à ma chère amie Natilee Dunning pour ses suggestions perspicaces et l'excellence de son assistance lors de l'édition du livre.

Merci également à Matt Groening.

C'est mon amie Melissa Etheridge qui a composé et interprété la chanson de la fin du film, et je veux ici la remercier pour le travail extraordinaire qu'elle a si rapidement effectué. J'ajoute que, bien des années avant que nous fassions ce film, Gary Allison et Peter Knight m'avaient aidé à lancer un premier projet, qui ne put malheureusement pas être mené à bien, parmi tant d'autres projets que j'ai réalisés ces dernières années.

Merci à Ross Gelbspan pour son infatigable dévouement.

Gail Buckland nous a précieusement aidés à trouver les images dont nous avions besoin. Je ne connais personne de plus savant au monde en matière d'images d'archives, et j'ai toujours aimé travailler avec elle et apprendre à ses côtés.

En outre, l'équipe de Getty Images est allée bien au-delà de ce que requiert le devoir professionnel pour faire aboutir ce projet.

J'adresse des remerciements spéciaux à Jill Martin et Ryan Orcutt, de Duarte Design, ainsi qu'à Tel Boda, qui fut remplacé par Ryan, pour les heures sans nombre passées ces dernières années à m'aider à trouver des images

et à dessiner les graphiques illustrant des concepts et phénomènes complexes.Tom Van Sant a consacré de nombreuses années de sa vie à créer l'une des séries d'images photographiques de la Terre les plus remarquables qui soient. Ses images que j'ai vues pour la première fois il y a dix-sept ans ont été pour moi une véritable source d'inspiration, et il n'a cessé par la suite de les améliorer. Je lui suis reconnaissant de m'avoir autorisé à utiliser la dernière imagerie qu'il a créée, d'une résolution d'1 mètre.

Parmi les nombreux scientifiques qui m'ont aidé à mieux comprendre ces questions, je veux en distinguer un petit groupe, qui a joué un rôle particulier en me donnant des conseils pour ce livre et pour le film, qui fait lui aussi partie du projet :
James Baker
Rosina Bierbaum
Eric Chivian
Paul Epstein
Jim Hansen
Henry Nelly
James McCarthy
Mario Molina

Michael Oppenheimer
David Sandalow
Ellen et Lonnie Thompson
Yoa Tandong.
De plus, trois scientifiques remarquables, dont le travail et l'inspiration occupent une place centrale dans ce livre, sont aujourd'hui décédés :
Carhesl David Keeling
Roger Revelle
Carl Sagan.

Je suis reconnaissant envers Steve Jobs et mes amis d'Apple Computer (je fais partie de son conseil d'administration) pour m'avoir aidé à utiliser le logiciel Keynote II, qui a joué un rôle important dans la réalisation de cet ouvrage.

Je remercie particulièrement mes partenaires et collègues de Generation Investment Management pour m'avoir aidé à analyser nombre de questions complexes dont traite ce livre. Et je veux remercier aussi mes collègues de Current TV pour m'avoir aidé à localiser plusieurs images reproduites dans l'ouvrage.

Je voudrais aussi remercier MDA Federal Inc., pour son aide pour les calculs et la réalisation de l'imagerie qui a permis de démontrer avec précision l'impact de la hausse du niveau des mers dans plusieurs villes autour du monde.
Tout au long de mon travail sur ce livre, Josh Cherwin, qui fait partie de mon équipe, m'a apporté une aide précieuse à de nombreux égards. Le reste de mon équipe a aussi fourni un magnifique effort :
Lisa Berg
Dwayne Kemp
Melinda Medlin
Roy Neel
Kalee Kreider.

Plusieurs membres de ma famille ont joué un rôle direct en m'aidant dans ce projet :
Karenna Gore Schiff et Drew Schiff
Kristin Gore et Paul Cusack
Sarah Gore
Albert Gore III
et mon beau-frère Frand Hunger.
Tous ont été une source d'inspiration permanente et sont pour moi le lien principal qui m'attache à l'avenir.

CRÉDITS

Illustrations de Michael Fornalski
Infographie par mgmt.design

L'éditeur et le packager souhaitent citer les organisations et les personnes suivantes qui ont contribués aux photographies et aux images de ce projet :

Animals Animals ; ArcticNet ; Yann Arthus-Bertrand (www.yannarthusbertrand.com) ; Buck/Renewable Films ; Tracey Dixon ; Getty Images ; Kenneth E. Gibson ; Tipper Gore ; Paul Grabbhorn ; Frans Lanting (www.lanting.com) ; Eric Lee ; Mark Lynas ; Dr. Jim McCarthy ; Bruno Messerli ; Carl Page ; W. T. Pfeffer ; Karen Robinson ; Vladimir Romanovsky ; Lonnie Thompson ; et Tom Van Sant

Les images sont référencées à partir du numéro de la page. Toutes les photos et les illustrations sont mentionnées avec leur copyright ©.

Page 1, 2 : NASA ; 5 : Tipper Gore ; 6 : courtesy of the Gore family ; 11 : courtesy of the Gore family ; 12–13 : NASA ; 14–15 : Tom Van Sant/GeoSphere Project ; 16–17 : Tom Van Sant/GeoSphere Project et Michael Fornalski ; 18–19 : Getty Images ; 20–21 : Steve Cole/Getty Images ; 22–23 : Derek Trask/Corbis ; 24–25 : Tom Van Sant/GeoSphere Project et Michael Fornalski ; 28–29: Tom Van Sant/GeoSphere Project ; 30–31 : Tom Van Sant/GeoSphere Project et Michael Fornalski ; 32: Lonnie Thompson ; 33 (en haut) : Carle Page ; 33 (en bas): Bruno Messerli ; 34–35: U.S. Geological Survey ; 36: (toutes les photographies) Copyright by Sammlung Gesellschaft fuer oekologische Forschung, Munich, Germany ; 37 : (composite) Daniel Beltra/ZUMA Press/Copyright by Greenpeace ; 38–39 : Daniel Garcia/AFP/Getty Images ; 40–41 : Map Resources ; 42 et 43 (à gauche): Lonnie Thompson ; 43 (à droite): Vin Morgan/AFP/Getty Images ; 50–51 : Michaela Rehle/Reuters ; 54–55 : Paul S. Howell/Getty Images ; 56: Philippe Colombi/Getty Images ; 58–59 : NOAA ; 60–61: NASA ; 62–63 : Don Farrall/Getty Images ; 64–65 : Andrew Winning/Reuters/Corbis ; 66–67 : (composite) NASA/NOAA/Plymouth State Weather Center ; 68 : Marko Georgiev/Getty Images ; 69 (en haut) : David Portnoy/Getty Images ; 69 (en bas): Robyn Beck/AFP/Getty Images ; 70–71: Vincent Laforet/The New York Times ; 73 : Keystone/Sigi Tischler ; 74: Sebastian D'Souza/AFP/Getty Images ; 75 : China Photos/Getty Images ; 76–77 : Tom Van Sant/GeoSphere Project et Michael Fornalski ; 78 (toutes les photographies): NASA ; 79: Stephane De Sakutin/AFP/Getty Images ; 80–81: Natural Resources of Canada, 2001 ; 82–83 : Derek Mueller et Warwick Vincent/Laval University/ArcticNet ; 85 : Michael Fornalski ; 86–87 : Tracey Dixon ; 88–89 : Peter Essick/Aurora/Getty Images ; 90 (en haut) : Vladimir Romanovsky/Geophysical Institute/UAF ; 90 (en bas) Mark Lynas ; 91 (graphique): Arctic Climate Impact Assessment ; 93 : Natural Resources of Canada, 2001 ; 94–95 : Frans Lanting ; 96 : British Antarctic Survey ; 98 : map, J. Kaiser, Science, 2002 ; 98–99 : toutes les images satellites, NASA ; 100–101: Frans Lanting ; 103 : Tom Van Sant/GeoSphere Project ; 104–105 : (graphique) Renewable Films/ACIA ; 106: (graphique) Buck/Renewable Films et NASA ; 107 : Roger Braithwaite/Peter Arnold ; 108–109 : Mark Lynas ; 110–112 (toutes les photographies): MDA Federal Inc. et Brian Fisher/Renewable Films ; 113 : Ooms Avenhorn Groep bv ; 114 (en haut): U.S. CIA ; 114 (en bas) et 115 : MDA Federal Inc. and Brian Fisher/Renewable Films ; 116 : Google Earth ; 117 : MDA Federal Inc. et Brian Fisher/Renewable Films ; 118–119 : Tom Van Sant/GeoSphere Project et Michael Fornalski ; 120–121: Paul Nicklen/National Geographic/Getty Images ;

INDEX

Les numéros de pages en italiques se rapportent aux illustrations.

Conforme à la loi n°49-956 du 16 juillet 1949 sur les publications destinées à la jeunesse

Achevé d'imprimer sur les presses de l'Imprimerie Moderne de l'Est (Beaumes les Dames) en janvier 2008
Imprimé en France
ISBN: 978-8109-3677-7
Dépôt légal : Février 2008